月刊文庫 文蔵 2024.7・8 目次

表紙デザイン・菅野はるな／本文デザイン・小林美代子

スポーツ小説

CONTENTS

ブックガイド

歴史的ビッグイベントの光と闇に迫る「オリンピック」を様々な角度から体感できる物語——友清 哲

額賀澪最新作！傑作スケボー青春小説『夜と跳ぶ』

PHP文芸文庫のおすすめスポーツ小説

特集

世界の晴れ舞台での栄光と影
心熱くなるスポーツ小説

※「闇の絵本」は休載いたします。

特集

世界の晴れ舞台での栄光と影

心熱くなる

間もなく始まる、パリオリンピック。
各選手が自分の限界に挑戦する姿は、
今年も多くの人々を感動させることでしょう。
本特集では、競技の魅力を
臨場感たっぷりに伝えた作品はもちろん、
ビッグイベントの裏で変わる社会や
暗躍する人々を描いたサスペンスまで
様々な角度からスポーツを
楽しめる作品を紹介します。

ブックガイド

歴史的ビッグイベントの光と闇に迫る

「オリンピック」を様々な角度から体感できる物語

文・友清 哲

オリンピックイヤーである。前回の東京大会がコロナ禍《か》の煽《あお》りを受け、一年遅れかつ大半が無観客という変則開催を強《し》いられたことから、我々が真っ当なオリンピックにありつけるのは実に八年ぶりということになる。

翻《ひるがえ》って、小説の世界においてスポーツは有力な一分野であり、オリンピックやパラリンピックを題材にした物語も決して少なくない。となれば、パリオリンピック・パラリンピック開催に向けて気持ちを高めるべく、作家たちがこの世界的なビッグイベントをどう料理したのか、めぼしい作品をピックアップしてレビューを試みたい。

「昭和」の東京オリンピックの背景で蠢《うごめ》くドラマ

ご存知のように、東京オリンピックは昭和と令和、二度開催されている。まずは日本の高度成長の起爆剤となった、昭和の東京オリンピックにまつわる物語からチェックしていこう。

近年の作品の中で、オリンピックといえば真っ先に奥田英朗《おくだひでお》の『オリンピックの身代金』を思い浮かべる人は少なくないのではないか。

舞台となっているのは、一九六四年の東京オリンピック前の日本。同年七月、東京大学大学院に在籍する島崎国男《しまざきくにお》の元に、オリンピック関連施設の工事現場で働いていた兄の訃報《ふほう》が届く。異父兄であったこともあり、悲しみの感情こそ希薄であったものの、葬儀のために帰った故郷・秋田《あきた》で、以前と変わらぬ貧しさを、さらに兄が働いていた現場でプロレタリアートの悪しき実態を肌身で知った国男は、今の日本にはオリンピックを開催する資格はな

『オリンピックの身代金』(上・下)
奥田英朗著／講談社文庫

いとの思いを強くする。

　工事現場で繋がった縁から、ダイナマイトの入手に成功した国男は、二度の爆破事件を起こして国家に警告を送る。小生《しょうせい》、東京オリンピックのカイサイをボウガイします――。それは、オリンピック景気に沸《わ》く東京で、富と繁栄の独占を求める者たちへのアンチテーゼだった。オリンピックを人質に身代金獲得を画策する国男に、捜査一課の刑事たちが迫るが……。

　オリンピックや万博などの国際イベントが催される際には、商業主義への偏重がしばしば疑問視される昨今。国男に対する共感も少なくないだろう。事件の行く末をハラハラしながら見守っていただきたい。

　なお、同じく奥田英朗作品にはもう一作、『罪の轍《わだち》』という作品がある。舞台は同じく昭和の東京オリンピック前、一九六三年の浅草《あさくさ》。世の中を震撼《しんかん》させる男児誘拐事件を追う捜査一課の若手刑事を中心に事の顛末《てんまつ》を追う物語で、オリンピック競技に直接題材を求める作品ではないが、当時のムードや世界観に触れられる

『罪の轍《わだち》』
奥田英朗著／新潮文庫

社会派ミステリーとして、見所の多い一冊。『オリンピックの身代金』と合わせてチェックしてみると、往時の世相への理解がより深まるかもしれない。

続いて取り上げるのは、月村了衛《つきむらりょうえ》『**悪の五輪**』。一九六三年三月、翌年に控《ひか》えた東京オリンピックの公式記録映画の監督を務めるはずだった黒澤明《くろさわあきら》が降板。史実でいえば、最終的に市川崑《いちかわこん》が後任に収まったことは有名だが、本作はそのプロセスをフィクション化した意欲作である。

暗躍したのは、博打《ばくち》をしのぎにする白壁《しらかべ》一家に属する人見稀郎《ひとみきろう》。彼は上からの指示により、興行界に打って出ようと画策、錦田欣明《にしきだきんめい》なる人物を後釜《あとがま》にねじ込もうと動き始める。しかし、事はそう簡単ではない。日本にとって初めてのオリンピックには、政治家や財界関係者はもちろん、土建屋やヤクザ、そして警察までもがその莫大《ばくだい》な利権に群がっているからだ。

監督選定に影響力を持つ者を徹底的に調べ上げた稀郎は、金や女を使って目的を遂行《すいこう》しようとするが——。昭和史の裏側を生々

『悪の五輪』
月村了衛著／講談社文庫

しく、リアリティ豊かに描き出したクライムノベルの金字塔だ。
伊多波《いたば》碧《みどり》『**リスタート！ あのオリンピックからはじまったわたしの一歩**』は、一九六四年の東京を舞台に、働く女性の様々な人生を描いたオムニバス。

区会議員を務める夫から、突然離婚届を突きつけられた愛子《あいこ》。海外からの要人をもてなすコンパニオンに挑戦しようと決意する、社長令嬢の恭子。選手村のレストランで皿洗いをしながら調理師を夢見る栄子《えいこ》。警察官の夫に先立たれ、息子の反抗期に悩むタイピストの頼子《よりこ》。

それぞれの人間模様の中に詰まっている苦悩や希望が、オリンピックに沸く東京の世相とのコントラストでより映える。著者の技巧が冴《さ》え渡った構成も印象的な一作だ。

「令和」のそして「未来」の東京オリンピックを巡る物語

『リスタート！ あのオリンピックからはじまったわたしの一歩』
伊多波 碧著／出版芸術社

パンデミックに翻弄《ほんろう》された、令和のオリンピックについても見ていこう。

吉田修一《よしだしゅういち》『**オリンピックにふれる**』は、二〇二一年の夏、コロナ禍により遅れてやってきた東京オリンピックと同時進行する形で新聞連載された、「東京花火」を含む全四作の短編集だ。

オリンピック出場まであと一歩の位置にありながら、タイムが低迷するボート選手の黄昏《たそがれ》を、香港《ホンコン》を舞台に描いた「香港林檎」。急速な経済成長の兆《きざ》しを見せ始めた上海《シャンハイ》を舞台に、かつて体操競技の強化選手だった体育教師の憧憬《どうけい》を題材にした「上海蜜柑」。女子フィギュアスケート選手に想いを馳《は》せる、ソウルのスケート場清掃員の心情にテーマを求めた「ストロベリーソウル」。そしてコロナ禍により変則的な開催を強いられた、東京オリンピックに関わる人々を描いた「東京花火」と、時と共に大きく変貌《へんぼう》を遂げてきたアジアの各都市を、エモーショナルに描写した人生ドラマがこの一冊に凝縮している。

穏やかならぬタイトルだが、堂場瞬一《どうばしゅんいち》『**オリンピックを殺す**

『**オリンピックにふれる**』
吉田修一著／講談社

日』もまた、コロナ禍の煽りを受けた令和の東京オリンピックを題材にした物語である。

　コロナ禍の収束を見ないまま強行されたオリンピックに対し、日本を去ったある大学教授が残した、「五輪は集金・分配システムに変化し、意義を失った」という言葉。その数年後、世界的企業がオリンピックに代わる新たなスポーツ大会、「ザ・ゲーム」の開催を企画しているとの情報を新聞記者が摑んだ。

　この大会には数名の大物アスリートが関与していることが判明するも、詳細については誰もが口を閉ざし、公式発表を待つしかない状況が続く。そして明かされた大会プランとは、マスコミの完全排除、無観客、オンライン配信の体制で、オリンピックと同時期に開催されるというものだった。果たして、この大会を仕掛ける謎の組織の正体とは!?

　なお、著者はこのほかにも、『チームⅢ』『空の声』『ダブル・トライ』『ホーム』というオリンピックに関連する四つのスポーツ小説を、四カ月連続刊行する「堂場２０２０プロジェクト」を

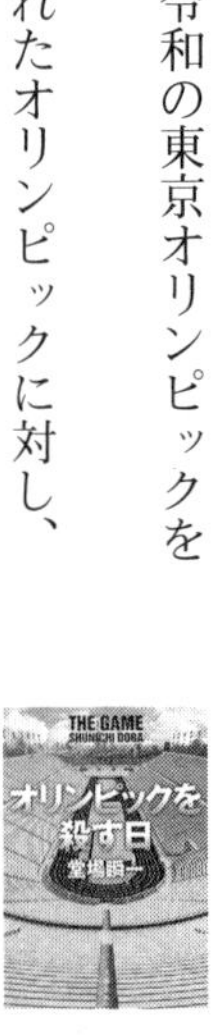

『オリンピックを殺す日』
堂場瞬一著／文藝春秋

実現したことも記憶に新しい。『オリンピックを殺す日』には、オリンピックに賭《か》ける人一倍の想いが込められている。

　令和の東京オリンピックよりもはるか先、三度目のオリンピックを前にした二〇六〇年の東京を舞台にした作品もある。山田悠介《やまだゆうすけ》**『僕はロボットごしの君に恋をする』**がそれで、この世界では人型ロボットを使った国家的極秘プロジェクトが進行中。プロジェクトメンバーの一員である主人公の健《たける》は、幼なじみの同僚・陽一郎《よういちろう》の妹、咲《さき》にひそかに想いを寄せていた。

　ある日、咲の勤務先にテロ予告が届いて事態は急変。健は警備ロボットを操作して咲を守ろうとするが——。最後に予想外の真相が明かされるサプライズもあり、スポーツ小説とはまた異なる感動と満足感が待っている。

　額賀澪《ぬかがみお》**『夜と跳ぶ』**は、不祥事を起こして謹慎中の崖っぷちカメラマン与野《よの》と、スケートボードの初代五輪金メダリストであるエイジの、偶然の出会いから始まる青春小説。

　スケートボードは二〇二一年の東京オリンピックから正式に採

『夜と跳ぶ』2024年7月発売予定
額賀 澪著／PHP研究所
＊カバーデザインは変更の可能性があります

『僕はロボットごしの君に恋をする』
山田悠介著／河出文庫

用された新しい種目。次のパリオリンピックでも有力な金メダル候補と目されながら、出場に意欲を示すことなく、ストリートで気ままに滑り続けるエイジの姿勢に反発する与野だったが、その圧倒的な滑《すべ》りに魅了され、カメラ片手にスケートボードに乗って映像を撮る「フィルマー」として、彼と日常を共にすることに。そんな中、連続強盗事件や通り魔事件など、夜の渋谷《しぶや》を舞台にいくつものトラブルが発生し――。

なお、エイジがオリンピックに見切りをつけた理由には、ストリート発祥の競技ならではのジレンマがある。与野の視点を通して触れるその事情と心情はリアリティにあふれており、パリオリンピック開催前に一読すれば、スケートボードの見方が変わるはずだ。

この項の最後には、遠藤武文《えんどうたけふみ》『**狙撃手のオリンピック**』をお勧めしたい。ここで取り上げられているオリンピックとは、一九九八年に開催された長野オリンピックのことである。

かつてモスクワ五輪出場を目指した長野県警の神稲貴之《くましろたかゆき》と、テ

『狙撃手のオリンピック』
遠藤武文著／光文社

ルアビブ空港乱射事件の被疑者として逮捕され、釈放後はひっそりと身を潜《ひそ》めるように暮らしていた荻窪克己《おぎくぼかつみ》、二人の人物を軸に物語は進行する。両者には戦後の混乱期に生じたある事情、そして強い怨恨《えんこん》があり、長野オリンピックの開会式の水面下で交錯《こうさく》した両者のドラマが、クライマックスまでスピード感豊かに描かれている。

「平和の象徴」とされるオリンピックの背景で、昭和の闇を引きずった知られざるサスペンス劇を展開する手法は、エンタテインメントの構成としても興味深いものがある。

注目度を増す「パラリンピック」を描いた作品

オリンピックのみを語るのは、もはや時代遅れとされる昨今。多様性が尊ばれる現代社会においては、パラリンピックへの注目度も増している。

中山七里《なかやましちり》『**翼がなくても**』は、交通事故で左足を失った女子ス

『翼がなくても』
中山七里著／双葉文庫

プリンター、沙良《さら》がパラスポーツに再起の道を見出す物語。事故を起こしたのは、幼馴染《おさななじ》みである泰輔《たいすけ》が運転する車であったことから、胸に絶望と恨みを抱える沙良だったが、ある日、その泰輔が刺殺体で発見されることから事態は一転する。

泰輔の死の真相。義足のアスリートとして再起を期す沙良。そして障害者スポーツの厳しい現状と課題。いくつもの要素が入り交じる厚みのある物語に加えて、ラストにはどんでん返しに定評のある著者らしい仕上げが待っている。

土橋章宏《どばしあきひろ》『水上のフライト』も、将来を嘱望《しょくぼう》されるアスリートが怪我《けが》によって障害者スポーツに転向するという構図は共通している。

走り高跳びでオリンピック出場を目指していた大学生の遥《はるか》だったが、不慮の事故で脊髄《せきずい》を損傷、下半身麻痺《まひ》の状態に陥ってしまう。選手生命を絶たれて絶望する遥を次の道・カヌーの世界へと誘ったのは、高校時代の恩師だった。パラカヌーでパラリンピック出場という新たな目標を得た彼女は、出場権を賭けてワールド

『水上のフライト』
土橋章宏著／徳間文庫

カップに挑むのだった。話題の映画を脚本家自らがノベライズした感動作。

障害者スポーツの場合、選手単身では競技が成り立たないこともある。視覚障害のあるアスリートの目の代わりとなって周囲の状況を伝え、ペース配分を管理する「伴走者」に題材を求めたのは、浅生鴨《あそうかも》『**伴走者**』だ。

夏のブラインドマラソン編と、冬のブラインドアルペンスキー編の二編構成で、いずれも競技に情熱を注ぐパラアスリートと、それをサポートする伴走者の物語。夏編では、自己中心的だがストイックに競技に打ち込む盲目の内田《うちだ》に、かつて実業団のランナーだった淡島《あわしま》が伴走する。不遜な内田の態度に最初は反発していた淡島だが、やがてその真摯《しんし》な姿勢に影響されて、少しずつ絆《きずな》を深めていく。一方、冬編では全盲のアルペンスキー選手・晴《はる》に、学生時代にランキング一位にまで上り詰めた立川《たちかわ》が伴走し、そのハンデキャップを感じさせない滑りに心酔していく。

パラスポーツとはペア競技のような側面を持ち、チームワーク

『伴走者』
浅生 鴨著／講談社文庫

や心の繋がりの深さが結果に影響する世界であるということを、感動をもって教えてくれる一作だ。

本特集のトリは、阿部《あべ》暁子《あきこ》『パラ・スター（Side百花《ももか》）』並びに『パラ・スター（Side宝良《たから》）』の二部作を取り上げたい。

山路《やまじ》百花と君島《きみじま》宝良は、中学時代からの親友同士。ところが高校二年生の時、宝良はトラックにはねられ、車椅子生活を余儀なくされる。事故直後、一時は自暴自棄《じぼうじき》に陥っていた宝良だが、百花の勧めで車椅子テニスの大会を見学するため九州まで出かけたことから、新たな道が開かれた——というのが物語の前提だ。

やがて、宝良のために最高の車椅子を作ることを目標に、車椅子メーカーに入社した百花の視点で描かれたのが、第一部にあたる「Side百花」である。宝良はすでに車椅子テニスの世界で活躍し、日本代表にも選出される有力選手となっているが、一方の新米エンジニアである百花は、競技用車椅子というあまりにも特殊な世界を前に、失敗や成功を重ねながら少しずつ歩みを進める最中だ。

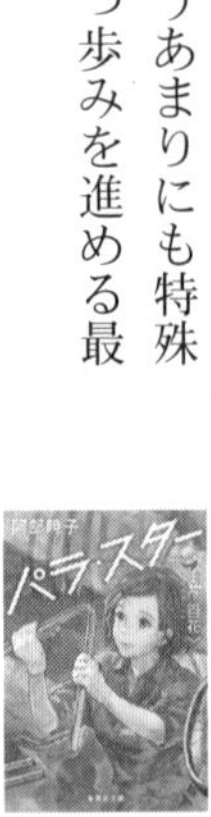

『パラ・スター』〈Side百花〉
阿部暁子著／集英社文庫

そんなお仕事小説としての側面も大きい第一部に対し、続く「Side宝良」は東京パラリンピックを数カ月後に控えた舞台設定。選考の時期にスランプに陥ってしまった宝良だったが、親友・百花が働くメーカーの車椅子でジャパンオープンに臨《のぞ》む。エンジニアとアスリートという二つの側面から切り取られる構図は、障害者スポーツならではの醍醐味《だいごみ》に満ちている。

以上、単にスポーツ小説と括るよりも、競技やアスリートの深層により迫る分野であることが、おわかりいただけたのではないだろうか。

パリオリンピック・パラリンピック開催まで、残すところ約一カ月。物語の世界に触れながら、存分に心構えを整えてほしい。

『パラ・スター』〈Side宝良〉
阿部暁子著／集英社文庫

◇刊行に寄せて

東京オリンピックで初採用されたスケートボード競技。コロナ禍《か》で迎えたオリンピックの最中、テレビで観戦した人も多いのではないでしょうか。私もその一人です。「街中で見かける若者の遊び」と認識していたスケートボードを、初めてスポーツとして楽しんだ瞬間でした。日本代表のメダルラッシュはもちろん、繰《く》り出《だ》されるアクロバティックな技の数々に魅了されました。

『夜と跳ぶ』はそんなスケートボードを題材にした小説です。東京オリンピックで金メダルを獲《と》ったのに表舞台から姿を消したスケーターの青年と、諸事情で仕事を干《ほ》された中年スポーツカメラマンが夜の渋谷でさまざまな騒動に巻き込まれていきます。

取材を進めるうちに気づいたのは、私達がオリンピックで観た光景はスケートボードのほんの一部だったということです。

『夜と跳ぶ』にはオリンピックだけでは見えてこなかったスケートボードの魅力を目一杯盛り込みました。オリンピックで活躍する選手達の姿も、街中で見かけるスケーター達の姿も、読む前と後で違ったものに見えてくるはずです。

（額賀　澪）

ぬかが　みお　1990年、茨城県生まれ。2015年に『屋上のウインドノーツ』で松本清張賞を、『ヒトリコ』で小学館文庫小説賞を受賞し、デビュー。2023年7月、「転職の魔王様」シリーズがフジテレビ系列「月10」枠でテレビドラマ化された。

フィギュアスケートの世界を舞台に、母と娘の絆を描いた傑作長編

『銀色の絆』
（上・下） 雫井脩介著

夫の浮気が原因で離婚し、娘の小織《さおり》とともに名古屋へと転居して無気力な日々を送る藤里《ふじさと》梨《り》津《つ》子《こ》は、フィギュアスケートの名コーチ・上村《うえむら》美《み》濤《なみ》に才能を見出された娘を支えることに、生きがいを感じ始める。「藤里小織の最大の伸びしろは、あなたにあると思ってます」とのコーチの言葉に、娘のためにすべてを懸ける決意をする梨津子。クラブ内の異様な慣習、元夫からの養育費の途絶、練習方針を巡るコーチとの軋轢――フィギュアスケートにのめり込む梨津子の思いに、小織は戸惑《とまど》いながらも成績を上げていくのだが……。

箱根駅伝をめぐる誘拐事件を描いた、緊迫の犯罪小説

『強奪　箱根駅伝』 安東能明著

箱根駅伝本戦を控えた神奈川大学駅伝チームの女子マネージャーが拉致《らち》された。犯人は神大の一人の選手を指名し、彼の本戦欠場を要求。さらに監禁した彼女の映像を、テレビ局に送りつけ、駅伝中継すら乗っ取れることも仄《ほの》めかす。事件解決の決め手がないままスタートした往路の競技中、犯人から、身代金の受け渡しを生中継しろという新たな要求が……。選手、誘拐犯、テレビ局、警察、各々《おのおの》の思惑と矜持《きょうじ》が激しく交錯するサスペンス巨編。

二　治外

1

小《こ》湊《みなと》母娘に絡んでいた米兵はスチュアート・ヒギンス曹長であると目星はついたものの、防犯カメラの映像とロイの証言だけでは特定には至らない。ましてや小湊母娘殺害の容疑者とするには根拠が薄弱に過ぎる。

だが冴子《さえこ》の関心は確実にスチュアートに向けられている。親の七光りでエリートコースに乗っている軍人という事実もいくぶん鼻につく。

「気になるのはスチュアートの所属が第5空軍を擁《よう》する横田基地である点だ。横田から千葉くんだりまで遠征して何をしているんだ。米兵相手の水商売なら横田基地周辺にごまんとあるだろうに」

自問自答に近い呟《つぶや》きだったが、即座に郡山《こおりやま》が反応した。

「それはもちろん、呑み歩く以上の目的が現場にあったからでしょう。軍用銃で急所を正確に一発ずつ。どう考えても小湊母娘を殺害するために横田基地から遠出したんですよ」

郡山は断言口調で言う。これまでは冴子がアクセルを踏《ふ》み郡山がブレーキを掛ける役だったが、今回は逆になっている。いささか勇み足になっているのも気に掛かる。

「どちらにせよ、当のスチュアート・ヒギンス曹長に話を聞かんことには始まらない」

冴子が刑事部屋を出ようとすると郡山が駆け寄ってきた。

「同行します」

「お前はここで待っていろ」

「しかし」

「上席者との交渉だ」

「了解しました」

互いの立場を認識させるような言動は性《しょう》に合わないが、郡山の暴走を牽制《けんせい》するためにはいったん頭を冷やす時間が必要だった。

フロアの隅《すみ》にいた小沼《こぬま》課長を捕まえて、早速米兵の事情聴取を申し入れる。案の定、小沼はいい顔をしなかった。

「選《よ》りに選《よ》って在日米軍か」

こんな不味《まず》いメシが食えるか、という顔だった。

「しかも事情聴取の根拠は防犯カメラに被害者母娘と一緒に映っていただけとはな」

「容疑者の手掛かりが皆無《かいむ》に近い現状、微《かす》かな線でも追うのが筋《すじ》でしょう」

「容疑者と目される者が一般人ならその理屈も通るだろう。だが相手は在日米軍だ。日米地位協定を知らん訳じゃあるまい」

言われるまでもない。

犯行に使用された銃がＳＩＧ ＳＡＵＥＲ《シグザウエル》 Ｐ３２０である可能性が示唆《しさ》された時から、日米地位協定の問題は絶えず頭の中にあった。

日米地位協定は一九六〇年、日本とアメリカ合衆国との間に締結《ていけつ》された。日米安全保障条約の目的達成のために日本国内の施設と区域に関する米軍の権利を確保する内容であり、あくまでも米軍の地位のみを定めている。

当然に不平等は生じ、一例を挙げれば被疑者が米国軍人等の場合、身柄が米側にある場合には日本側で公訴が提起されるまで米国側が拘禁《こうきん》を行うこととされているのだ。言い換えるなら、こちらが起訴に踏み込まない限り米兵の身柄を確保できない。また日本側の捜査当局が被疑者を拘禁施設に収容するよう要請したとしても、その可否判断は米軍当局に委《ゆだ》ねられている。

「前回のように中国共産党が相手ならともかくアメリカを向こうに回すのは問題がある。何しろ同盟国だからな。下手すりゃ深刻な外交問題に発展しないとも限らん」

「わたしたちは警察官でスチュアート曹長は軍人です。外交は外交官に任せておけばいいじゃないですか」

「そういう訳にいくか」

前回までのあらすじ

千葉県警刑事部捜査一課、高頭冴子班に所属する郡山は、マンションの隣室に住む小湊雪美・真央と交流を深めていた。しかし、近隣の公園で小湊母娘が射殺された姿で発見されてしまう。復讐に燃える郡山と共に捜査を進める冴子は、母娘に絡んでいた男性が在日米軍曹長、スチュアート・ヒギンスだと特定するが……。

小沼はこちらを睨《にら》みつける。

「不始末を責められるのは部長や本部長なんだぞ」

「健康的でいいと思います。長というのは責任を取るのが仕事ですから」

「高頭も班長だろう」

「わたしの責任の取り方は犯人逮捕です」

「郡山が暴走した時の責任も取れるか」

何気ない一言に、冴子は警戒心を強める。こちらが報告した訳でもないのに、郡山が捜査に前のめりになっている事実を把握《はあく》している。

小沼の言動には時折自己保身が顔を覗《のぞ》かせる。皮肉な話だが、自己保身を図る者は部下の動向に敏感だ。従って管理職に向いている場合が少なくない。小沼はその典型だった。

「もちろん部下の管理もわたしの責任ですから」

「普通、部下が暴走したら上司はブレーキを掛けるものだが、お前の班はその立場がしばしば逆になる。今回こそ高頭班長がブレーキ役に徹してくれんとな」

皮肉交じりではあるものの、事実に即しているので反駁《はんばく》できない。

「正直、その米兵が容疑者足り得る根拠は銃弾の仕様と防犯カメラ以外に何かあるのか。それとも勘か。わざわざ在日米軍に探りを入れようとするんだ。それなりの根拠があるんだろう」

「報告した通り、根拠は防犯カメラに被害者母娘と一緒に映っていたという事実のみです。対象が米兵だからという理由で容疑から外すという考えは持ち合わせていません」

束の間、小沼はこちらの意思を推し量ろうとする目で睨んでいたが、やがて断念したように視線を逸《そ》らせた。

「部長に伝えておく」

不貞腐《ふてくさ》れたような態度はいつも通りだが、この男の長所は決して嘘を吐かない点だ。おそらく、この足で部長の許を訪れるに違いない。

「よろしくお願いします」

冴子が予想した通り、小沼はすぐに上申してくれたらしい。国兼《くにかね》部長から呼び出しをうけたのは、わずか十五分後だった。

「毎度毎度、恐いもの知らずだな」

部屋に入ってきた冴子に対し、国兼は挨拶抜きで言い放った。

「米兵に疑いを掛けた理由は聞いた。一般人と米兵と分け隔《へだ》てしないという高頭《たかとう》班長の方針も聞いた」

小沼と違い、国兼はなかなか感情を面に出そうとしない。淡々とした喋り方なので機嫌すら窺《うかが》えない。上司として尊敬できるが、人としては心を許せない部分がある。

「昨今、外国人犯罪が増加傾向にある状況下で、県警が在日米軍相手でも斟酌《しんしゃく》しないという姿勢を内外に示すのは悪いことではない」

嫌な予感が脳裏《のうり》に渦巻く。最初にこちらの意欲を褒《ほ》めた後は、大抵の場合苦言が続くものだ。

「しかしな、高頭班長」

そらきた。

「米兵による犯罪の起訴率を知っているか」

「かなり少ないと聞いています」

「一昨年に発生した米軍関係者による一般刑法犯は起訴九件に対して不起訴が七十

一件、起訴率はわずか十一パーセントに留まっている。殺人一件、傷害九件、暴行三件、横領二件は全て不起訴、強制性交も十一件中九件が不起訴になっている。全国の一般刑法犯の起訴率と比較すれば三分の一以下の数値だ。理由は言わずもがなだな」

「日米地位協定ですね」

「実態がどうあれ、先方が公務中でのアクシデントと強弁《きょうべん》すれば、日本側は容疑者を拘禁できない。結果的に米軍の好き勝手に事が運び、いくら警察が立件したところで検察は泣く泣く不起訴にせざるを得ない」

不意に確信した。国兼は冴子の覚悟を確かめようとしている。

それなら、訊かれる前に訊こうと思った。

「部長は、その状況をどのようにお考えですか」

「決して愉快《ゆかい》な話じゃない。基地と在日米軍が治外法権という事実には、未だにこの国がアメリカの属国だということを思い知らされるからな」

冴子は言葉に詰まる。国兼の物言いを自虐史観と嗤《わら》うのは容易《たやす》いが、米軍関係者の起こした事件の顚末《てんまつ》を知る者には苦い真実だ。自国内で自国民が被害を受けているのに、容疑者を取り調べることもできない。そんな国のどこが独立国家なのかと思う。

「かと言って、かの国との間に安全保障条約が結ばれている限り、我々警察がいくら捜査の公平性を訴えたところで政府が在日米軍に申し入れをしてくれる望みは薄い。世間が大騒ぎするような大事件ならいざ知らずな」

一般市民の母娘が殺された程度では大事件にならないという言説が引っ掛かるが、国兼の言わんとする内容は理解できる。過去に世間が騒いだ事件と言えば、沖縄の幼女殺害やうるま市の女性暴行殺人といった凶悪事件だが、それすらも政府が先んじてアメリカに厳重抗議をした訳ではなかった。まず市民が憤《いきどお》り、沸騰《ふっとう》する世論に押されて政府が重い腰を上げたのが実状だった。

「母娘殺しは決して小さな事件ではありません」

「高頭班長ならそう言うだろうな。その上で尋ねる。仮に米兵が犯人だったとしても、米軍の思惑が働いて日本の法律では裁けない可能性がある。それでも捜査を続けるか」

「続けます」

冴子は言下《げんか》に答えた。

「犯人を特定し、立件するのが我々の仕事です。起訴するかどうか、起訴したらどう法廷で闘うかは検察の仕事です」

「分かった」

国兼はもう充分というように背を向ける。いかにも素《そ》っ気《け》ないが、余分な言葉がないのは冴子の好みでもある。

「本部長に上申しておく」

部長の部屋を退出した際、つくづく思った。容疑者に事情聴取するだけでも、いちいち上の許可を取らなければならない。普段は影も形もない上昇志向が頭を擡《もた》げるのはこういう時だ。

権力は嫌いだし、出世欲も同期の人間ほど持ち合わせていない。だが犯人逮捕に必要な力なら手に入れるに吝《やぶさ》かではなかった。


国兼からの回答は翌日だった。昨日と同様、冴子を部屋に呼び出して感情のない声で伝える。

「横田基地からの返事は『NO』だった。当該の兵士を取り調べるにあたって、防犯カメラに被害者たちと一緒に映っていた程度の証拠では不充分との回答だ」

「そうですか」

在日米軍がスチュアート曹長の事情聴取を拒絶するのは予想していたので、さほど落胆《らくたん》もしない。

「アリバイは確認できましたか。四日の午後九時から十一時にかけて彼はどこで何をしていたのか」

「取り調べる必要がないから、本人に確認もしていないそうだ」

「内部では聞き取りしているんでしょうね」

「おそらくその通りだろう。穿《うが》った見方をすれば、本人に当日のアリバイがないから回答を拒否しているのかもしれん。どちらにしても舐《な》められたものだが、これが在日米軍の日本警察に対する通常モードだと思うと、改めて業腹《ごうはら》ものだな」

業腹と言いながら、国兼の表情に憤りの色はない。だが顔に出ない分、内側で沸騰する感情が窺われる。

「横田基地からの回答は以上だ。それで高頭班長はどうする」

「そもそも米軍基地に伺いを立てるというのがイレギュラー対応でした。いつも通りの捜査をするまでです」

「スチュアート曹長は呼び出せないぞ」

「わざわざ呼び出さなくても、向こうが基地の外に出れば接触できるでしょう」

「横田基地で張るつもりか」

「スチュアート曹長が私用で外出し、何らかの揉め事を起こした場合は、まずこちら側で身柄を確保できます。あくまでも可能性の問題ですが」

「あくまでも可能性、か」

国兼はちらりとこちらを一瞥する。

「張るのは構わんが、こちらが尻尾を捕まえられるような下手は打つな」

無理は仕方ないにしても無茶はするなという意味に受け取り、冴子はほっと胸を撫《な》で下《お》ろす。

「基地を張るには増員が必要になります」

「他の班に援軍を要請するんだな。小沼課長にはわたしから伝えておく」

「よろしくお願いします」


刑事部屋に戻ると郡山が待ち構えていた。

「横田基地からの返事はどうでしたか」

「予想通りだ。横田基地はこちらからの要請を拒否した」

「じゃあ、やっぱり基地を張りますか」

元々、横田基地を包囲してスチュアート曹長の動向を監視しようと言い出したのは郡山だった。最初は無理筋だと冴子も考えたが、スチュアート曹長を呼び出せない以上、彼が基地から出たところで接触するしかないと考えたのだ。

横田基地は広大な敷地を擁する。総面積は7，136㎢、東西に約2・9㎞、南北に約4・5㎞、周囲は約14㎞。占有地は福生《ふっさ》市、立川《たちかわ》市、武蔵村山《むさしむらやま》市、瑞穂《みずほ》町、羽村市《はむら》、昭島市《あきしま》の六市町に跨《また》がる。米空軍第374空輸航空団の管理だが、使用部隊は在日米軍司令部、第5空軍司令部、第374空輸航空団・同司令部、国連軍後方司令部他に及ぶ。この広大な基地に軍人3600人、軍属800人、家族4500人、日本人従業員2100人が居住している。

「基地のゲートは全部で六カ所ある。この六カ所をほぼ二十四時間張ることになる。高頭班全員では到底足りないから、他に増援を頼むしかない」

「ご迷惑をお掛けします」

「謝るな。別にお前の事件じゃない」

郡山を窘《たしな》めたものの、他の班に増援を要請する気後れは冴子にもある。正式には捜査会議の席上で指示が出されるはずだが、他の班から人員を回してもらう以上、高頭班はより働かなければならない。

「今から体力を温存しておけ」

「いつでもフルパワーで動けますよ」

郡山は淡々とした口調だったが、目の昏《くら》さが気になった。

翌日の捜査会議は午前九時に開かれた。雛壇《ひなだん》中央には楢崎《ならさき》管理官、その左右を小沼課長と国兼部長が挟むかたちで座っている。

楢崎の口から小湊母娘殺害の容疑者として在日米軍の兵士スチュアート・ヒギンス曹長が浮上した旨《むね》が告げられると、一気に場の空気が張り詰めた。

射入角度から割り出された犯人の身長と使用されたパラベラム弾、そして防犯カメラに映っていた母娘に絡むスチュアートの写真。断片的な事柄が曖昧《あいまい》な線で繋がり、容疑者の輪郭を形成していく。スチュアート曹長を犯人と特定するには物的証拠が不足しているが、捜査一課の刑事たちが鼻をひくつかせるには充分な条件だった。

「ただし横田基地にスチュアート曹長の事情聴取を打診したが拒否された。現状、他に容疑者足り得る者が存在しない以上、スチュアート曹長から直接話を訊くより他にない。従《したが》って、彼が基地の外に出た時に接触するしかない。そこで専従の高頭班からは基地の各ゲートを張ることを提案されている」

雛壇の後方に設《しつら》えられた大型モニターに横田基地の図面が表示される。

「知っての通り、横田基地は在日米軍と空自の共有になっており、空自は第5ゲートを使用している。他五カ所のゲートが米軍の出入口になるが、米兵が第5ゲートを通るケースもままあるらしい。結局は六カ所全てのゲートを張る必要がある。一カ所に二名ないし三名の捜査員を配置するとしたら、高頭班の人員では到底足りない。そこで各班から増援を請うことになる」

楢崎が増援を告げた途端、場の空気が微妙に白けた。問題の米兵との接触は必要だが、張り込みに自分の班から人員を割《さ》かれるのは勘弁してほしい。総論賛成、各論反対。

他の班の気持ちは冴子にも理解できる。どの班も常に複数の事件を抱えており、猫の手を借りたいほどだ。要請を受けて基地の張り込みに協力すれば、それだけ担当している事件にマンパワーが割けなくなる。

明文化されていないものの、各班は検挙率でしのぎを削っている。検挙率が全てではないが、やはり順位は人事考課に影響してくるから、可能な限り担当事件に傾《けい》注《ちゅう》したい。

冴子が危惧《きぐ》していた通り、出席者の中から手が挙がった。

「今回、ウチはちょっと厳しいですね」

最初に発言したのは芝浦《しばうら》班長だった。

「現在、三件のタタキと四件の殺しを抱えています。全員、先週から定時では帰っていません。この上、二十四時間体制の張り込みとなると、部下の士気や体力にも関わってきます」

「件数を抱えているのはウチも同じですよ」

次に発言を求めたのは高田《たかだ》班長だった。

「ウチも二日前に流山《ながれやま》の資産家殺しを担当して初動捜査の真っ最中です。この段階で人を持っていかれるのは辛いですね」

「それを言うならウチだって」

何人かの班長が次々に声を上げて、早くも収拾がつかなくなる。不規則発言が相次ぐのは、偏《ひとえ》に楢崎の調整力のなさに起因する。昨年管理官に着任したばかりだが、行儀の良さが災《わざわ》いして求心力に欠ける。古参の捜査員がひしめく一課には、彼を小僧扱いする者もいる始末だ。

壇上の楢崎がそろそろ不穏な表情を見せ始めた頃、隣に座っていた国兼が低い声を放った。

「この場で殊更《ことさら》に主張せずとも、各班の稼働状況はわたしが把握している」

直前までざわついていた場が、しんと静まり返る。

「手が足りない。そんなことは重々承知している。捜査一課は慢性的《まんせいてき》に人手不足だからな。他班への援軍が困難なことも、未だ証拠物件が乏《とぼ》しい中で一人の容疑者に総出で掛かる効率の悪さも指摘されればその通りと返すしかない」

低い声だが、室内が静まり返っているので息遣いまでが聞こえる。

「加えて容疑者と目される者が在日米軍の兵士という事実が皆の懸念《けねん》材料になっている点も理解している。米軍絡みの事件では常に地位協定が立ち塞がる。沖縄や他県で起きた事件が不本意な幕引きに終わり、警察官として歯嚙《はが》みした者も少なくないだろう。かく言うわたしもその一人だ」

　思わず冴子は刮目《かつもく》する。国兼が大勢の前で己の心情を吐露《とろ》するのを見たのは、これが初めてだった。同じ思いなのか、小沼までが驚きの表情で上司を見ている。

「一方で同盟国と謳いながら、地位協定の内容は植民地のそれに等しい。仮にスチュアート曹長が犯人であった場合、彼が日本の法律で裁けるかどうかは怪しいところだ。だが、一つだけはっきりしていることがある。殺害された母娘の無念さだ」

　横を見ると、郡山が唇を真一文字に引き締めていた。

「まだ小学生の女児とシングルマザー。他人には言えない苦労もあっただろう。この中には妻帯者《さいたいしゃ》もいる。想像してみてほしい。何らかの理由でシングルマザーとなった細君《さいくん》が幼子とともに問答無用で射殺されるさまを」

　意図してか無意識なのかはともかく、国兼の鼓舞《こぶ》は絶妙だった。それまで面倒臭げにしていた芝浦班長や高田班長までが顔つきを一変させた。他の捜査員は言わずもがなだ。

「送検された容疑者がどう扱われるかはまだ分からない。起訴したところで在日米軍から横やりが入るのも充分予想できる。だが、だからと言って我々警察がただ指を咥《くわ》えて見ているだけでは、日本国民の生命と財産が蔑《ないがし》ろにされかねない。地位協定がある限り、在日米軍の兵士は日本国民にどんな狼藉《ろうぜき》を働いてもお咎《とが》めなしなのだと認識させてしまう。それは絶対にあってはならないことだ。我々は真っ当に捜査し、容疑者を捕え、証拠を揃《そろ》えて送検する。相手がどこの国の何者であろうともだ」

　国兼の言葉が終わると静寂《せいじゃく》が戻った。

　彼の弁は冴子の告げた内容と重なる。国兼の本音なのか冴子の言葉をアレンジしただけなのかは判然としないが、演説の効果はその内容よりも誰が喋ったかで左右されるのがよく分かる。居並ぶ捜査員全員が心を動かされた顔をしている。

　ややあって芝浦班長がおずおずと手を挙げた。

「ウチは二人までなら出せますよ」

　遅れてならじと、次に高田班長が声を上げる。

「ウチは三人なら」

されていく。

「芝浦班長。高田班長。礼を言う」

いったん空気が弛緩《しかん》すると、楢崎の指示で各ゲートに配置される人員が組み分けされていく。

会議を終えた国兼はひと足早く会議室を出ていく。すれ違う一瞬に見たが、国兼はいつもの固い表情のままだった。未だ底の知れぬ男だが、少なくとも自分たちの捜査を後押ししてくれる上司であることに間違いはなく、冴子は無言で頭を下げる。

冴子の横にいた郡山は、去りゆく国兼をしげしげと眺《なが》めていた。

「班長」

「何だ」

「わたしは上司に恵まれているとつくづく思います」

「もしわたしのことを言っているのなら買い被りだし、部長を指しているのなら判断が早計に過ぎる」

「しかし今のは心が震える演説でした」

同感だったが、国兼への妄信は危険を孕《はら》んでいるので釘を刺すことにした。

「言葉で釣られるな。行動を見ろ。どんなに立派な御託《ごたく》を並べても行動が伴わなかったら、ただの喋る人形だ。パワハラめいた暴言を続けても、行動で範を示してくれれば軽蔑《けいべつ》はされない」

ははあ、と郡山は相好《そうごう》を崩した。

「ご自分のことを言ってますね」

2

翌日から横田基地での張り込みが開始された。六カ所のゲートを二人ずつ三交代制で見張り、スチュアート曹長が外出するのを確認次第、全員で彼を追跡する手筈だ。

当初、第5ゲートは空自に連絡し入退記録の共有を打診したのだが、「在日米軍との共有情報であり外部への協力は困難」として拒絶された。

「自衛隊ってのは、我々警察よりも在日米軍に近いんですかね」

イーストゲート付近に停めた覆面パトカーの中、郡山は不満を洩《も》らす。既に見張りを開始してから三時間が経過し、緊張が途切れがちになる頃合いだった。

「現状、空自は横田基地に間借りしているようなものだからな。米軍を無視した行動は難しいだろう」

冴子が宥《なだ》めても尚、郡山は納得いかない様子でいる。

「しかし班長。そもそもあの基地だって日本の領土なんですよ」

「柵の内部は治外法権だ。子どもみたいなダダをこねるな」

冴子たちは会話している最中もゲートから目を離さない。

ここイーストゲートは東側住宅地域に暮らす米軍人と軍属が主に利用している。フェンスの内側は広々とした敷地に芝生が敷き詰められて開放的な印象だが、外側は日本の民家が倹《つま》しく肩を寄せ合うように密集している。フェンス際の道路はクルマ一台分の広さしかなく、柵を隔てた内と外では、まるで居住環境が違って見える。

右手奥には高さ30・75m、九階建て・地下一階の新管制塔が聳《そび》え立ち、左手には〈HIGASHI SAKURA BLOSSAM VILLAGE〉と呼ばれる大型高層住宅群が並ぶ。この辺りには学校や病院も備わっており、さながら一つの町が形成されている。

郡山の不満は痛いほど分かるが、この光景を見ているとフェンスの内側はアメリカ合衆国の一部なのだと実感せざるを得ない。しかも理不尽なことに管制塔や高層住宅も含め、基地内の建造物のほとんどは日本政府から供出された思いやり予算で負担されている。

「子どもじみた愚痴《ぐち》ってのは承知していますよ」

郡山が基地内に向ける視線はどこか不穏で、冴子はその点が気に掛かる。

「日米安保の必要性も在日米軍の存在価値も分かっていますよ。しかし我々の税金で基地内にアメリカの町が作られ、しかもその中は治外法権だという。頭では理解できても、なかなか納得するのは難しいです」

郡山の吐露《とろ》はそのまま大部分の日本人の心情と重なるかもしれない。かく言う冴子も在日米軍の基地には割り切れない気持ちを抱いている。

この世に絶対的な正義は存在せず、完全無欠の人格者は数えるほどしかいない。従って五万五千人もの駐屯米兵がいれば、一定数の不良軍人がいたとしても驚くにはあたらない。だが彼らの所業が不問に付される現実は、どうにも受け容れ難《がた》い。それこそ国兼の弁ではないが、戦後八十年にもなろうとしているのに、この国が未だ植民地の扱いを受けているような気分にさせられるからだ。

米軍兵士の不祥事《ふしょうじ》もさることながら、周辺住民は戦闘機の離発着による爆音や落下物といった基地被害に悩まされている。米軍基地の集中する沖縄は更に深刻な状況だ。地域住民に辛苦《しんく》を押し付け忍従《にんじゅう》させてまで護《まも》らなければならないものとは、いったい何なのだろうか。

「基地の中はともかく、フェンスの外に一歩でも出れば日本です。せめて、そこで起こった犯罪は我々で裁きたいですよ」

「同感だ」

二人は会話を止めてゲートに神経を集中させる。ゲートを出入りする米兵には徒歩で行き来する者もいるが、多くはクルマを使っている。中には複数で出掛ける連中もいる。

だが冴子も郡山もスチュアート曹長を他の誰かと見間違わない自信があった。

容疑者の顔を一度憶《おぼ》えたら目蓋《まぶた》の裏に焼きつけて決して忘れない。それは現場の捜査員に義務づけられた最低限の能力だった。


監視を始めて六時間、時刻は午後六時になろうとしている。既に東の空は赤く染まり始め、夕闇が迫る。

あと二時間で交代か。

この時刻になると、外食や夜遊びを求める米兵がゲートに集中すると聞く。クルマで外出する者がほとんどだが、ゲートのセキュリティを通るために一旦停止するので車内のメンバーを見過ごすことはない。

冴子が腕時計を見たその時だった。

「班長」

郡山の声が俄《にわか》に張り詰めた。冴子は視線をさっとゲートに戻す。

現れた。

私服姿のスチュアート曹長本人がゲート付近まで歩いてきたのだ。冴子と郡山は息を殺してスチュアートの行動を見守る。このまま徒歩で外出するつもりなのか。それならばこちらにとっては好都合だ。基地から離れた瞬間、他のゲートにいる捜査員と連携して彼を取り囲めばいい。職務質問をし、彼が捜査員を突き飛ばして逃げ出してくれれば御《おん》の字だ。公務執行妨害で現行犯逮捕できる。

二人は固唾《かたず》を呑んでスチュアート曹長の一挙手一投足に視線を絡める。

だがスチュアート曹長は門番と言葉を交わし始めると、なかなか外に出ようとしない。何かの伝達をしているのか、双方の表情は固いままだ。

ビデオ画像ではなく直《じか》にスチュアート曹長の顔を拝むのはこれが初めてだった。唇が薄く、表情のなさが酷薄《こくはく》そうな印象を与える。

早く動け。冴子は念じ続けるが、スチュアート曹長は話し続けるだけで一向に足を踏み出そうとしない。

「何してやがる」

真横で郡山が毒づいた。

「さっさと出てこい」

いつもは冷静沈着なはずの郡山が焦《あせ》っている。冴子は郡山を片手で制し、尚もスチュアート曹長から目を離さない。

三分。

五分。

じりじりと待つが、時間が空《むな》しく経過するだけで事態は膠着《こうちゃく》したままだ。

無論、冴子たちはスチュアート曹長の外出を待つだけではなく、彼の姿を逐一《ちくいち》録画している。彼が門番と交わした内容も、後で解読する予定だった。

スチュアート曹長は門番との会話を終えると真っ直ぐには進まず、回れ右をしてフェンスの奥に引っ込んでいく。それから十分ほど待ってみたが、二度と姿を現さなかった。どうやら今夜外出するつもりはないらしい。

「畜生《ちくしょう》」

郡山は一人ごちるが、愚痴りたいのは冴子も同様だった。

「腐るな。生でスチュアートの顔を確認できただけでも成果だ」

「いけ好かない顔をしていました」

「偏見が過ぎるぞ。あれは命令を実行している軍人の目だ」

「それなら、やっぱりいけ好きませんね」

八時になると冴子たちは次の張り込みメンバーと交代し、いったん捜査本部へと戻る。小沼から予想外の報告がされたのは、その直後だった。

「張り込みを中止しろ、ですか」

命令を鸚鵡《おうむ》返しにした冴子は小沼を軽く睨んだ。

「早速、どこかからの圧力ですか」

「圧力というよりはクレームだ。横田基地に在日米軍司令部があるのは知っているな。その司令部が警察庁経由で文句を言ってきた。千葉県警の警察車両が基地の各ゲートを監視しているのは何故なのかと」

「ナンバープレートから県警の車両と割り出したんですかね」

「おそらくそうだろう。六カ所のゲートに同じクルマが八時間停車したままだが、何の理由で千葉県警は在日米軍司令部を監視しているのかと訊いてきたらしい。それで警察庁長官が県警本部長に連絡してきたという寸法だ」

小沼はお前のせいだと言わんばかりの口ぶりだった。

「横田基地を包囲するように二十四時間態勢での監視。なるほど容疑者の外出を張るには十全の対応だが、監視している側もまた監視されていることを自覚するべきだったな。何しろ軍事施設だ。防犯カメラは元より、各種監視機器が縦横無尽に張り巡らされている」

基地への侵入は軍事的には大失態《だいしったい》だから二重三重の警備体制が敷かれている。その網の細かさは県警本部の比ではないに違いない。

「しかし基地の周辺を探っているのは警察だけではないでしょう。左派の運動家や基地に反対している地域住民の監視もあるはずです。千葉県警だけにクレームを入れてくるのは、叩かれたら埃《ほこり》が出るからではありませんか」

「先方に言わせれば、それこそ言いがかりだろうな。とにかく本部長命令だ。横田基地の周辺監視は中止する」

「中止。それなら再開の目処《めど》もあるということですか」

「決めるのは本部長だ」

クレームが入った責任は冴子に、再開させる責任は本部長に投げようというのか。相変わらずの自己保身だが、慣れているので怒りより呆《あき》れが先に立つ。

刑事部屋に戻り高頭班のメンバーに本部長命令を伝えると、一同から失意と落胆の声が洩れた。

「何ですか、それ」

「本部長、唯々諾々《いいだくだく》と警察庁に従ったんですか」

「せめて二、三日は様子を見ててくれてもいいんじゃないですか」

不満の声が上がる中、郡山は沈黙を守っている。その静けさが冴子の目には危険に映る。郡山が激している時は常に無口であるのを、経験則上知っているからだ。

「落ち着け」

冴子の凜とした声で班の皆が黙り込む。

「納得いかずとも警察庁からの達しなら従うより他にない。要は基地周辺から撤収すればいいだけの話だ」

考えてみれば軍事施設を張る行為自体が無謀《むぼう》だった。同盟国といえども相手は軍隊なのだ。諜報《ちょうほう》や情報戦で勝てる見込みは少ない。小沼の指摘通り、監視している側もまた監視されていることを自覚するべきだった。

すると郡山が呟くように訊いてきた。

「他に案でもあるんですか。スチュアートを合法的に尋問《じんもん》できる手段が」

「尋問するには順番を踏まなきゃならないが、少なくとも接触するチャンスはある」

「スチュアートが外出する機会をどうやって事前に察知するんですか」

「外出先で捕まえるんじゃない」

冴子は敢《あ》えて不敵に笑ってみせる。ここは郡山の暴走を防ぐために、冴子の自信を過剰《かじょう》に見せつける必要がある。

「こちらから基地に出向いてやろうって話なのさ」


〈つづく〉

汚名　伊東玄朴伝④

和田はつ子

Wada Hatsuko

第二章　出会い（承前）

五

川路《かわじ》と種痘の話をしてから数日間、玄朴《げんぼく》は長英《ちょうえい》がどんな風に疱瘡《とうそう》患者を診ているのか気に掛かっていた。実際に一度見てみようと決意して、麹町貝坂《こうじまちかいざか》にある長

英の元へと向かった。擦り切れた木綿《もめん》の着物にたすき掛けをした年配の女が出迎えてくれた。玄朴が名乗ると、

「長英の母の美也《みや》でございます」

相手は挨拶をした。母の美也は長英に似て痩せて背が高く、ただし面差《おもざ》しは似ても似つかず柔和《にゅうわ》そのものだった。

「高野先生にお目にかかりたいのです」

玄朴が告げると、

「どうぞこちらへ」

居宅の裏の葦簀張《よしずばり》へと案内してくれた。葦簀の下には痘瘡を患《わずら》っている子どもたちがいた。どの子も襤褸《ぼろ》を纏《まと》いつけていて一目で物乞いの子どもたちだとわかった。

「伊東玄朴先生がおいでです」

母親は告げたが、長英は玄朴に背を向けたまま、一心不乱に瘡蓋だらけの子らの目に目薬をさしていた。終えたところで、

「何か用か」

素《そ》っ気《け》ない問いを発した。それには応えず、

「その目薬は効くのか」

玄朴は訊いた。

「真珠散《しんじゅさん》だからな。越後《えちご》の竹山《たけやま》のものだから間違いない」

「よくもそんな――」

高いものをと続けかけて止《や》めた。

「物乞いの子には贅沢だとでもいうのか。心配ご無用。これは真珠散を日本中に売り出して一儲けした竹山家から貰い受けているものゆえな。越後で初めての蘭学塾の創設について相談を受けたことがあった。その礼代わりにずっと届けてもらっている。この病が癒えても物乞いは物乞いだろうから、めぼしいものを漁る目だけは潰れぬようにしてやりたい」

さらりと長英は言ってのけた。目の周りにできた膿疱《のうほう》の膿《うみ》が目に入り、失明する子どもは少なくなかった。長英が貴重な真珠散を竹山家から贈られ続けていると聞いて、玄朴は一瞬、富者や高位の者たちに高額な薬礼（治療費）を求めている自分が浅ましく思えた。

――長英の用いる真珠散は竹山家の篤志だが、自分の薬礼は商いなのか――

そこで、

「葦簀張での痘瘡患者の治療とは珍しいな」

玄朴は話を変えた。

「物乞いの子どもは生まれた時から常に昼間は寒風、夜間の冷え込みに慣れて暮らしている。屋根のある家で暖かい夜具《やぐ》にくるまれている、そこその暮らし向きの家の子らとは違う。疱瘡の患者の隔離は暖かくして安静を保つ環境が何よりと言われているが、物乞いの子ども等は外で寝起きしているのも同然なのだから、これには当てはまらない。それでもさっき言ったように目が潰れては物乞いにも苦労するだろうし、疱瘡の毒が五臓六腑《ごぞうろっぷ》にまで及ばぬよう手当てしてやらねば命に関わる。それで放っておけなくてこうして連れてきて診ている。この子らの手当てにふさわしい場所は、雨が当たらなければいいだけのここのようなところなのだよ」

長英は明晰《めいせき》に答えた。

「弱い発疹《ほっしん》の折、疱瘡毒が五臓六腑に回ってしまうことがある。そうならぬよう強

前回までのあらすじ

佐賀の貧しい農家に生まれた玄朴は、通詞猪俣伝次右衛門に阿蘭陀語を教わり、ひいてはシーボルトの弟子になる。しかし、シーボルトの江戸参府に随行する途中、伝次右衛門は暴漢に襲われ、玄朴に娘の照を託して亡くなる。江戸に残った玄朴はシーボルト事件に巻き込まれ、義兄源三郎は獄死するものの、玄朴はお咎めなしとなった。その後、玄朴は佐賀藩侍医に取り立てられ、種痘の普及をめざすようになる。

く発疹を促す薬に何を使っているのか」

玄朴は訊かずにはいられなかった。

「元となるのは子らの好きな砂糖に混ぜた樟脳《しょうのう》だ。これを各々《おのおの》の体質の違いを見極めて処方する。瘡《かさ》を癒す軟膏《なんこう》の方の元は胡麻油《ごまあぶら》と蜜蠟《みつろう》だ。これも個々によって異なる」

長英は淀《よど》みなく答えた。

「それは蘭方ではなく、漢方薬ではないか」

玄朴が口走ると、

「俺は蘭語とまだ見ぬ異国の知識を浴びるほど欲しているが、漢方の全部が劣っているなどと言ったことはないぞ。ただ疱瘡は疫病ではなく、生まれた時から持ち合わせている胎毒《たいどく》のせいだなどという漢方医の戯言《ざれごと》につきあうのはご免なだけだ。同じようにコロリの特効薬が阿片と附子またはマンダラゲで、阿片は万病に効き目があるという蘭方処方も一蹴《いっしゅう》したい。阿片は死ぬまでの時が短くなって苦しみから早く解放されるだけで、これによって治癒することはないからな」

長英はやはりまたさらりと言い切った。

「ところで、物乞いの子どもには従来通りの隔離では、逆効果になるとよくわかったものだな」

玄朴はさらに訊いた。

「シーボルト先生の一件があってから俺は諸国を旅し、卓越《たくえつ》した蘭学の師、シーボルト先生を仰ぎつつ自身の蘭学をこれでもかこれでもかと高めてきた。その際、医術で身すぎ世すぎして糊口《ここう》を凌いだのだが、家とは名ばかりの吹きさらしの小屋に寝かされて、瘡瘡に苦しんでいる子らを見て見ぬふりができなかった。どこへ行ってもこのような様子ばかりが目に入った。なぜなら、その子らはこの国に圧倒的に多い農民の子たちだからだ。そしてこの子らに従来通りの隔離養生をさせると、たいていは悪化させてしまい命を落とした。そこは、この手の子らには不慣れな場所でそれが禍《わざわい》するのだ。物乞いの子らも同様だ」

と長英は説明したあと、

「これから訳さなければならない蘭本があるので」

腰を上げた。

長英の、物乞いの子らのみならず、農民の子たちにも向けていた医者としての温かい目に驚き、玄朴は正直、感動さえ覚えた。しかし、翻訳と医業とで充分潤っているはずの長英の家の内証《ないしょう》が常に火の車なのは、人寄せをしての大盤振る舞いが過ぎるからだとか、大身《たいしん》の旗本や富者並みに吉原に泊まる常連だからだとも玄朴は聞いていた。屋外で暮らしているも同然の貧しい子らにあれほどの思いがあるならば、自身の享楽《きょうらく》は二の次にすべきではないかと玄朴には思われた。

――そうではない長英が、贅沢が日常である富者や高位の人たちを批判するのは正しくないのではないか――

玄朴は心の中で叫んだ。

そんなある日、玄朴は痘瘡患者を往診していて、思ってもみなかった相談を持ち掛けられた。痘瘡を発症した本両替屋《ほんりょうがえや》の五歳になる嫡男《ちゃくなん》は、これ以上はないと思われる理想的な隔離と手厚い対処治療により、二度目の発熱を乗り越えて恢復《かいふく》に向かっていた。もう何の心配もないはずだが、本両替屋夫婦は思い詰めた様子で突然、こんな話を切り出した。

「実はもう一人、同じように隔離して寸分違《すんぶんたが》わず世話をしましたが、先生からいただく薬だけは飲ませなかった物乞いの子がいるんです」

主《あるじ》の顔は青かった。詳しく話を聞くと、運定《うんさだ》めの痘瘡に大事な跡取りが罹ったとあって、主夫婦は医者である玄朴の他に祈禱師《きとうし》にも頼ったのだという。すると祈禱師は、

「同じ頃、同じように罹った同齢の子を探し、この家に置いて寝かせておきなさい。このことはくれぐれも他言無用です。そうすればその子が死ぬおかげでご当家の子が助かるでしょう」

馬鹿げたお告げをしたのだったが、息子の運定めが案じられてならない夫婦は奉公人に命じて、我が子と同齢で疱瘡で苦しんでいる子を探させた。それが件《くだん》の物乞いの子だったのだという。祈禱師の言った通り、本両替屋の息子は治癒に向かっていたが、玄朴が診ていない物乞いの子は悪くなる一方に思えた。するとまた祈禱師は、

「その子を死なせでもしたら末代《まつだい》まで祟《たた》る」

今度は矛盾《むじゅん》したことを言い出し、混乱した夫婦は玄朴に相談せずにはいられなくなったのであった。玄朴は震えあがる二人を急《せ》かして、物乞いの子を診た。二度目の発熱で際立つ膿疱の赤みが足りないようで、これは五臓六腑にまで疱瘡が悪さをする前兆である。ここまでになるとたいていは助からない。

「助けてください、助けてください」

夫婦は繰り返した。長英に物乞いの子どもの隔離の仕方を学んだ玄朴は、それか

らほぼ毎日、本両替屋で疱瘡と闘っている物乞いの子どもの元へと往診に出向いた。その子どもは、障子《しょうじ》で仕切られていて火鉢のある離れに隔離されていた。玄朴が庭に葦簀張を作らせて筵《むしろ》を敷かせ、そこへその子を移すように指示すると、主夫婦は半信半疑ではあったが言われた通りにした。祈禱師は物乞いの子どもの命のために祈禱した後、その子が死ねば祟りどころではすまない、即刻跡取りも死ぬと脅して法外の金をせしめてすでに逃げ去っていた。

「ほんとうにそんなことをして大丈夫ですか」

お内儀《ないぎ》は心配そうだったが、

「どちらも生かしたいのなら言う通りにしてください」

玄朴は頑として譲らなかった。こうして葦簀張の筵の上に移された子どもの物乞いは瘡がびっしりと全身を覆っていたものの、五臓六腑には至らず恢復していった。玄朴は目には目には長英に倣《なら》って、とっておきの真珠散を日々用いた。真珠散は高額ではあったが物乞いの子どもが死ねば、我が子も急変して死ぬと信じている本両替屋では費《つい》えを惜しまなかった。こうして物乞いの子どもは完全に治癒した。

片や江戸市中での疱瘡患者は激増していた。玄朴は長英の医者としての見識、技量に圧倒されていた。疫病の皺寄《しわよ》せは大人に比べて生命力の乏《とぼ》しい子どもたちに降りかかった。ダニの一種が引き起こす皮膚病の疥癬《かいせん》でも子どもは命を失う。ましてや疱瘡とあってはひとたまりもなかった。なんとか種痘を一刻でも早く施《ほどこ》すことができるようにしなければならないと、玄朴はこの使命感に燃えた。そのため何とか少しでも長英に近づいて伍《ご》したかった。

六

飢饉対策を考えるための尚歯会ができた頃、玄朴は下谷御徒町和泉橋通《したやおかちまちいずみばしどおり》に引っ越し、開いていた蘭学塾を象先堂《しょうせんどう》と改名した。象先という言葉は友人の大槻磐渓《おおつきばんけい》が選んだ言葉で、玄関に掲げられた扁額《へんがく》は当時、寺社奉行を務めていた越前鯖江《えちぜんさばえ》の間部《まなべ》家当主間部詮勝《あきかつ》の筆であることから、玄朴は人脈作りを着々と進めていたことがわかる。

この象先堂は間口《まぐち》二十四間《けん》、奥行き三十間の大きな屋敷で、二階には常に多数の書生が寄宿していた。一棟に十室あり畳廊下がまっすぐに奥まで通っていて、各部屋を仕切っている襖《ふすま》を取り払うと大広間になった。設立の費えのほとんどは玄朴がこの時のためにと倹約を重ねて貯め込んできた金子《きんす》だった。日々の食や着る物さえも倹約し、照も玄朴も一時期は周囲が心配するほど痩せ細った。医学館を城下八《はち》幡小路《まんこうじ》に置くことに決めた佐賀藩からも多少の援助があり、玄朴のことを案じた川路も少なくない祝い金を届けてくれた。

玄朴は苦労して今日の地位を築いた川路の厚意に、目頭《めがしら》が熱くなった。シーボルトの事件が起きてから、初めて玄朴を認めてくれた大事な人でもあった。

また、玄朴が象先堂設立を決意した大きな理由の一つは、漢方医古川左庵《ふるかわさあん》の死であった。故郷から訪れた者から師の訃報《ふほう》を聞いた玄朴は数日の間、悲しみに暮れた。蔵書をいくらでも読ませてくれ、常に広く温かい心で弟子たちを包んでいた左庵の穏和で大きな人柄を偲《しの》んで号泣した。ひとしきり泣いたあとは、師が開業していた小淵近くにあった水車小屋の見える風景をなつかしく思い出していた。

「これからは漢方だけが医業ではなくなる」

と言って玄朴に蘭方への道をさりげなく示してくれたのは左庵だった。漢方医として未熟だと自覚していた玄朴に、

「病気を治してやるという心持ちではなく、一緒に闘うという心持ちで医療に当たるのもまた医者の正しき道である」

そうも告げて、桃林《とうりん》という医号を授けて開業の後押しをしてくれたのも左庵だった。玄朴は医術に自分を導いてくれた左庵に並々ならぬ謝意を抱いていた。今日こうして漢蘭折衷《かんらんせっちゅう》の、形に囚われない医療を行えるのも、左庵からの学びによるところが大きい。

――自分は巣立った後、とうとう一度も会わずに師は逝《い》ってしまわれたが、ならばせめても、人を育てることに心を砕いて師の志を引き継ぎたい――

そのためには、一介の使い勝手のいい医者でいてはいけないとわかっていた。シーボルトの門下生でいた頃から、立場が弱い者は利用されるということを身にしみて感じていたからである。医者として上の地位に就きたい、蘭方という武器で奥医師の最高峰の本道（内科、漢方）に伍したいという野心がたぎった。

丹波康頼《たんばやすより》の子孫の家系であった多紀元孝《たきもとたか》は大奥の医師を経て法眼《ほうげん》、本丸奥医師となり、漢方医の教育養成のため神田佐久間町《かんださくまちょう》に明和《めいわ》二（一七六五）年に私塾、躋《せい》寿館《じゅかん》を創設していたが、寛政《かんせい》四（一七九二）年には医学館と改称され幕府直轄となっていた。玄朴はこれに匹敵《ひってき》し得る蘭方の教育機関を象先堂に定めようと考えていた。

そのためにも中国伝来の考証医学に徹していた多紀氏の大著をしのぐ著作を著《あらわ》さなければ、世に、厳密には医家や幕府に蘭方は認められないと確信していた。そこで、玄朴は入手した蘭書の『医療正始《いりようせいし》』二十四巻の刊行を決意した。病名、症状、経過、原因、転帰、予後、分類、治療の順に書かれていて、症例治験例が述べられている独逸《ドイツ》人ビショップの著をエルジッキが蘭語訳したものを日本語に訳して出版するのである。訳者としてすぐに浮かんだのは蘭語和訳の天才高野長英であったが、玄朴は首を横に振って頭の中の長英を追い出した。長英への嫉妬ゆえだけではなかった。

――ご公儀や体制へ思い切った批判をしている長英に任せたら、色眼鏡で見られてしまい、何のために『医療正始』を刊行するかわからない。蘭学はますます認められない事態になりかねない――

その一方、天才高野長英にしかできないこの仕事を、他の者にしろというのは無理なのかもしれないと悩んだ。川路を含め知り合いにも和訳の力量のある者を探してもらったが見つからず、もう自分でやるしかないと諦めかけていた。これだけの大著を訳すことのできる者はなかなかいなかったのである。

仕方なく玄朴自身が取り掛かろうとしていた矢先、奇跡とも呼べる出会いが二度も訪れた。一度目は今にも飢え死にしそうに見える一人の侍が、象先堂の門をくぐってきたことである。玄朴よりもさらに痩せて小さく、頬がげっそりと削《そ》げ落ちた男は、津山《つやま》藩医の箕作阮甫《みつくりげんぽ》と名乗った。津山藩医の三男で父と兄を立て続けに亡くして家督《かとく》を継いで藩医になり、後に幕府天文台翻訳員に任じられるものの、赤貧洗うが如しの暮らしで湯銭《ゆせん》（風呂代）も事欠くありさまだという。

「医術を行い人の命を救うはずの仕事の者が飢え死にしかねないのは、おかしいのではないかと思いました。長年、学んだ蘭語と医術を自分が生きるために使わねばと決意していた矢先に、こちらで蘭語和訳者を探していると聞いたもので」

と阮甫は言った。玄朴はこの男の蘭語がいかほどか試したいと思ったが、顔色が優れないのが気になった。まるで長崎時代の自分を見るようだった。

「お見受けしたところ、あまりに空腹が過ぎているようです。腹が空きすぎていると力は見せられぬもの。今、何か用意させましょう」

照《てる》に告げて握り飯と茶を運ばせた。阮甫は瞬《また》く間《ま》に次々とたいらげ、八個目に手を伸ばしかけたところで手を止めた。

「待っている妻や子のことがやっと今、頭をよぎりました。それまでは腹が空いて空いてとてもそれどころでは――」

すっかり血の気が顔に戻って声も張りが出てきた阮甫に、玄朴は労《いた》わるように微笑みかけた。さっそく『医療正始』の何行かの翻訳に取り掛からせてみると、阮甫の蘭語和訳は長英ほどの名訳とまではいかないものの、充分に優れていた。間違いや曖昧《あいまい》な誤魔化《ごまか》しもない立派な訳であった。ただ長英ならもっとわかりやすく、まるで美酒のようにすっと入ってくる文にするだろうにとは思った。

阮甫に全部任せるとなると、かなり時を要するだろうと思っていた矢先、時を空けずして、象先堂に二度目の奇跡が舞い込んできた。久しぶりに大槻磐渓が訪れたのである。大槻磐渓とは松崎慊堂《まつざきこうどう》（大儒と謳われている儒学者で渡辺崋山の師）を通して知り合っていた。長英に強引に誘われて行った、尚歯会の集まりに松崎慊堂が経学（儒教の経典を研究する学問）の弟子である大槻磐渓を伴って来ていたのである。玄朴は磐渓が高名な蘭学者大槻玄沢《げんたく》の息子であることに興味を惹かれ、

「お父様は著名な医家なのにどうして、あなたは医家を志さなかったのですか」

挨拶もそこそこに訊ねた。恵まれた環境に生まれた磐渓が羨ましく嫉妬にも似た気持ちを抱いたからだった。

「父の師匠格の建部《たてべ》清庵《せいあん》先生がわたしを養子にと望まれたことがあったのですが、お断りしました。医術の狭い世界に封じられたくなかったからです。それで建部家では杉田玄白先生のところから養子を迎えられました」

磐渓は淡々と告げて、

――勿体《もったい》ない。建部清庵先生といえば江戸で蘭方を学ばれ、漢蘭折衷の卓越した医術と飢饉対策で知られた奥州の雄ではないか――

玄朴はますます目の前の相手がわからなくなった。

「父玄沢と友人の桂川《かつらがわ》甫《ほ》周《しゅう》先生が、蘭学を盛んにするための策を講じたことがありました。父が蘭語を和訳したものを、漢字ばかりが並ぶ漢文体の文章に翻訳させるため、わたしを漢学者として育てようと話し合ったことがあるのです。桂川先生の出自は代々将軍家の奥医師で、外科での最高位である法眼なので、蘭学書を自由

に読むことが許されていたのです。どこまで本気だったのかはわかりませんが、わたしは父と桂川先生が望んだように漢学者としての道を辿ることになってしまいました。ただ、まだ父たちの手伝いはしていませんが。きっと子どもの頃から自在に操れる漢文の才だけは多少わたしにあったのですね――」

高名な学者の名をなんの衒《てら》いもなく次々に口にするうえ、自分の才まで述べているのに、自慢に聞こえない様子は清々しくさえあった。玄朴は自分が持ち得ないものを持っている磐渓に惹かれ、磐渓も率直な物言いをする玄朴に好感を持ち、二人は親交を深めた。著名な大槻玄沢先生のご子息が関われば、『医療正始』は格が上がる。

――これだ、これ。

玄朴は狂喜のあまり膝を打って、珍しくはははと大声で長く笑った。

「面白い、あなたは実に面白い」

これにはさすがの磐渓も、

「何を言っているのですか。わたしは暮らしのため、象先堂でわたしの漢文がなにか役に立てないかと思って来たのですが」

困惑気味に呟いた。すると玄朴は間髪《かんはつ》を容《い》れず、

「あなたこそわたしたち象先堂が待ち望んでいた人だ。どうかわたしたちの仕事に

是非とも力を貸してほしい」

丁寧に深く頭を下げて、『医療正始』の和訳刊行について話した。

「あなたの漢文の腕で磨きをかけていただき、天下一の名著にしたいのです」

玄朴はこの機を逃してはならないとさらに大袈裟《おおげさ》に告げた。

「外国で起きていることを新しい医術を含めて学ぶには蘭学を措《お》いてはない。そして、学んだ知識はこの国に広めてこそ価値がある。それにはわたしたちが長きにわたって親しんできた漢学、漢文による伝達で広く理解を促《うなが》すほかはないのだ。この仕事はあなたの天職だと思う」

「ほんとうか」

磐渓は半信半疑であった。しかし、玄朴はしっかりと頷いた。

――この男は恵まれて自由に育ちすぎたせいか、浮世は厳しい現実そのものだと、今やっと気がついたところなのだ。年相応の処世とは無縁でこの先、どうしていいか、迷っているのだろう、これほど計算のない純な学者魂の持ち主は滅多にいない――

玄朴の言葉に心を動かされた磐渓は、知らずと細く柔らかな指を玄朴の方へと向けていた。玄朴は意外に大きく節《ふし》くれだった手で力一杯、相手の小さな手を包み込んだ。

「わたしが医家になりたくなかったのは実は人の死が堪《たま》らなかったからです。死に立ち会うなどとんでもなく辛いことのように思えます。父玄沢は〝生と死とは隣り合わせで、医者には誰かを看取《みと》ることもあるが命をとりあげたり、切磋琢磨《せっさたくま》の勉学や研究、処方に励んだ成果で、消えかかっている命を助けることもできる。だから遣《や》り甲斐《がい》のある仕事なのだ〟と言っていましたが、やはりわたしには人の、特に親しい友人や身内の死が堪らない」

「そうだったね」

「風邪に罹って熱を出した家内は、祝言《しゅうげん》を挙げて半年で亡くなりました。身籠《みごも》っていたので、お腹の子も育たずに。医者は身籠ることに耐えられないほど蒲柳《ほりゅう》の質の女子もいるのだから仕方なかったのだと言っていましたが、わたしは可哀想でたまらず日々寂しくもありとても諦められず、ずっと引きずっています」

　とうとう磐渓はおいおい顔を覆って泣き出してしまった。聞いていた玄朴に故郷《くに》の庄屋の娘八重の死に対する、あの時のやりきれない感情が甦《よみがえ》った。

――この前、この手の感情に襲われかけたのはいつのことだったか――

普段、極力感情を抑制している玄朴には珍しいことだった。

――たしかにあの時ほど医者としての自分の無力さに打ちひしがれ、痘瘡という化け物のような病を憎んだことはなかった――

玄朴は封印していたはずの自分の感情がこれ以上戻ってこないよう、磐渓の肩を抱いて慰めた。

こうして『医療正始』は、無事蘭語和訳と刊行への道筋が立った。箕作阮甫が訳して届けてきたものを、大槻磐渓に渡す。磐渓はこのために蘭語を習い始めたが、その早い習得ぶりには誰もが舌を巻いた。磐渓は阮甫の蘭語和訳を、

「これを訳されているお方は簡潔を旨《むね》としておられて、医術に限らず、きっとどんなものでも訳すことができるはずです」

と評し、二人の相性の良さは明らかだった。

こうして玄朴は、強く願ったことが到底叶《かな》いそうにないと絶望する手前で、奇跡が訪れるのだという運の良さを信じることができた。シーボルト先生の時でさえ、罰を免れた強運なのだと――。


〈つづく〉

おいち不思議がたり

誕生篇 第十回

あさのあつこ

Asano Atsuko

戦うために（承前）

加納堂安《かのうどうあん》は美丈夫《びじょうふ》といって差し支えない男振りだった。

恰幅《かっぷく》がよく、総髪《そうはつ》の髪も、豊かに蓄《たくわ》えた口髭《くちひげ》も肌《はだ》も艶《つや》やかだ。身に着けているのは、薄鼠色《うすねずいろ》の江戸小紋《こもん》の単《ひとえ》、博多帯《はかたおび》、帯と同色の納戸色《なんどいろ》の羽織《はおり》だった。羽織は薄絹《うすぎぬ》でいかにも涼《すず》しげだ。「おいち、本当の分限者《ぶげんしゃ》ってのはね、一目で豪華《ごうか》とわかるような底の浅いものを着込んだりしないのさ。一見、地味でありながら、わかる者にはわかるって贅《ぜい》を尽くす。そこのところに金を使うもんなんだよ」

おうたに言われたことがある。

一見、地味《じみ》でありながら、わかる者にはわかる贅。それがどういうものか、まるで見当がつかなかったし、つけたいとも思わなかったから、「へえ、そういうもんなんだ」といい加減に答えておいた。

とっくに忘れていた伯母《おば》の一言が、妙に鮮《あざ》やかによみがえってくる。

堂安の出で立《た》ちは、まさに〝地味ながら贅を尽くした〟もののように見受けられた。

えらい違いだわと、呟《つぶや》きそうになる。

いつも、色褪《いろあ》せた木綿《もめん》の十徳《じっとく》四幅袴《よのばかま》か、やはり色褪せた白衣《はくい》の上着姿という松庵《しょうあん》とは違い過ぎる。この屋敷と菖蒲《しょうぶ》長屋ぐらいの違い……とまではいかないけれど、同じ医者だと一括《ひとくく》りにできないほどの隔《へだ》たりだ。

「うむ、何か？」

堂安が顎《あご》を引く。それで、おいちは自分が無遠慮に相手を見詰めていたと気が付いた。

「あ、も、申し訳ございません。たいへん不躾《ぶしつけ》な真似《まね》を致しました」

頰《ほお》を赤らめ、もう一度頭を下げる。

かな」

「あ、いやいや、そのように恐縮されることはない。何か気になることでもあった
「あ、は、はい。あまりに立派なお召し物でしたので、つい目を奪われました」

「うむ？　いや、ただの普段着だがな」

「まっ、普段着でございますか。では、そのお姿で薬研《やげん》を使ったり、お薬の調合をなさるのですか。染《し》みができたりいたしません？」

なべて、薬草の染みは取りにくい。衣《ころも》のあちこちに点々とできた染みは、おいちの悩みの種の一つだ。軽く揉《も》んだぐらいでは落ちないし、強く何度も揉めば布地を傷《いた》めてしまう。丈夫な木綿でなければ、普段に使うなんてできない。

あははははと、明朗《めいろう》な笑い声が響《ひび》いた。

「この、わたしが薬研を使う？　調合する？　いやいや、それはないな。そういう仕事は全《すべ》て、弟子に任《まか》せておるのでな。はは、石渡塾《いしわたじゆく》の塾生は世間知らずながら愉快な方が揃《そろ》っておられるのかな」

は？　世間知らず？　憚《はばか》りながら、こちらは世間のまん真ん中で生きておりますが。だいたい、医者のくせに薬の調合まで他人任せって、あまりに不直《ふちよく》じゃござ いませんか。

と、言い返すつもりだったが、ぐっと堪《こら》えた。美代《みよ》が横手から袖《そで》を摑《つか》んできたか

らだ。

おいちさん、そこまで。

と目配《めくば》せしてくる。おいちは頷《うなず》き、堂安に笑《え》みを向けた。

「ほほ、さすがに加納先生ともなると、お召し物も仰《おっしゃ》ることも違いますわねえ。あら、でも、和江《かずえ》さんはいつも、木綿の小袖《こそで》を着ておられましたけど。ね、美代さん」

「ええ、お着物は木綿ばかりでした。いたって質素な形《なり》で……」

美代は言葉を呑《の》み込み、おいちは心持ち身を引いた。それほど、堂安の顔つきが変わったのだ。それまでの、作り笑いが消えて、眉間《みけん》と口元にくっきりと皺《しわ》が現れ

前回までのあらすじ

おいちは、江戸深川の菖蒲《しょうぶ》長屋で医師である父・松庵《しょうあん》の仕事を手伝いながら、石渡塾《いしわたじゆく》に通っている。そして飾り職人の新吉《しんきち》と結婚し、子供を宿す。ある日、六間堀《ろっけんぼり》で若い男の他殺体が見つかる。続けて、瓦葺《かわらぶ》き職人の平五郎《へいごろう》も殺された。一方おいちは、石渡塾で共に学ぶ和江《かずえ》が血飛沫《ちしぶき》を浴びている幻《まぼろし》を見てしまい、不吉な予感に苛《さいな》まれる。やがて石渡塾に男たちがやってきて、和江を家に連れ戻そうとする。おいちと美代《みよ》は、和江が勉強を続けられるよう、和江の父・加納堂安《かのうどうあん》のところへ直談判《じかだんぱん》に行く。

た。ひどく不機嫌《ふきげん》で、気難しい顔様《かおよう》だった。

「あれには、ほとほと手を焼いておる」

一瞬さらした形相《ぎょうそう》を拭《ぬぐ》って、堂安はため息を吐《つ》いた。

「変わり者で我ばかり強くて、親に従うという気がまるでない。母親を早くになくしたのが不憫《ふびん》で、甘やかしてしまったのが悪かったのか……」

「あら、和江さんはとても、気持ちのいいご気性《きしょう》ですよ」

美代がさらりと堂安を否《いな》む。

「学びに熱心で、真面目《まじめ》で、何より、人の命を守りたいという確かな想《おも》いをお持ちです。その直向《ひたむ》きな姿に、わたしたち何度も励まされて参りました」

「美代さんの言う通りです。それに和江さん、いつもきちんと身形《みなり》を整えておられますよ。洗濯も丁寧《ていねい》だし、髷《まげ》もきちんと自分で結っています。なにもかも他人任せなおじょうさまより、ずっと立派だわ。それはとりもなおさず、お父上の躾《しつけ》が立派だということでしょう。本当に自慢の御息女《ごそくじょ》ではありませんか」

堂安への皮肉を混ぜてしまったが、大半は本音《ほんね》だった。

和江は他人に心を開くのが下手《へた》で、頑《かたく》なな面もあるにはある。けれど、人としての芯《しん》が一本しっかりと通っていた。弱い者を思いやる心も持っている。なにより医の道に真《ま》っ直《す》ぐに向き合っているのだ。お通《つう》、おイシという仲間を得て、これから先、もっと強くもっと優《やさ》しくもっと直向きになっていくだろう。堂安は自分の娘の美質に気付いていないのだろうか。それとも、わざと目を逸《そ》らしているのか。

「加納先生、お願いいたします」

おいちは手をつき、加納堂安を見据《みす》えた。

「どうか、和江さんがこのまま石渡塾で学ぶことをお許しください」

深く頭を下げる。

「なにとぞ、お願いいたします」

美代も同じように座礼する。一瞬、座敷の内が静まった。庭師の剪定鋏《せんていばさみ》の音が微《かす》かにだが聞こえる。それほどの静寂《せいじゃく》だった。

堂安の声が静けさを破る。

「明乃《あきの》先生の文《ふみ》にも同じようなことが綴《つづ》られておったが」

おいちは身体《からだ》を起こし、堂安と目を合わせた。

「和江は家に帰していただく。縁談が纏《まと》まったのでな」

「纏まってはおりませんでしょう」

背筋を伸ばす。目は逸らさない。

「和江さんは今のまま、石渡塾で学ぶと決めています。嫁《とつ》ぐ気は一切《いっさい》ないとのこと」

「和江の気持ちなど、どうでもいい。これは、わたしが決めたことだ」

「だから、従えと？」

「子は親に従って当然だろう。それとも、石渡塾では医術ではなく、親に逆《さか》らうという人の道に悖《もと》る術《すべ》を教えておるのかな」

「人の道に悖るかどうか、それは親にもよりましょう。どれほど非道で阿漕《あこぎ》な親であっても従わねばならぬとは、至聖先師《しせいせんし》もお釈迦《しゃか》さまも仰ってはおられません」

正直、おいちは論語の講義を受けたことも、仏典を繙《ひもと》いたこともない。ただ、儒《じゅ》家《か》の祖も仏教の開祖も、親というだけで子を思うがままに扱ってよいとは説《と》いていないはずだ。

「子の幸せを心から願い、望む親であれば、子はその言《げん》に耳を傾けるでしょう。でも、子の想いをかってに踏み躙《にじ》るような親であれば、抗《あらが》って当然かと存じます」

美代が「そうね」と相槌《あいづち》を打ち、続けた。

「人の道に悖るというなら、破落戸《ごろつき》を遣《つか》って勾引《かどわ》かし紛《まが》いの真似をする方がよほど悖っていると思いますけれど」

堂安の眉間にまた、皺が二本現れ寸《すん》の間《ま》で消えた。

「破落戸？　はて、何のことだか」

「まあ、加納先生はご存じなかったのですね。やはりそうでしたか。あの件にはかかわっていらっしゃらないわけですよねえ」

美代がわざとらしく何度も頷く。そのわざとらしさに、おいちは笑いそうになった。

ここに来るまでに、何を言いどう振る舞うか、一応の打ち合わせはした。

「わたし、そんなもっともらしいお芝居《しばい》ができるかしら。加納先生の前に出たら竦《すく》んでしまって、何も言えなくなる気がするわ」

と、美代は心配げであったのに、どうしてどうして、なかなかの役者ぶりだ。

「実は、石渡塾が場をお借りしております紙問屋の香西屋《こうさいや》さんに、破落戸が数人、押しかけて参りました。そして、和江さんを無理やり連れ去ろうとしたのです。あれには驚いたし、怖《こわ》かったわよねえ、おいちさん」

「ええ、本当に。幸い、『香西屋』には腕に覚えのある者がおりましたから、破落戸など軽く表通りに放り出して事なきを得ましたが」

腕に覚えのある者……おうたの啖呵《たんか》と男たちを睨《にら》みつけた形相《ぎょうそう》が浮かんでくる。怯《おび》え切った男たちの姿も。また、笑いそうになったが、笑っている場合ではない。堂安はとぼけ通すつもりらしい。ならば、ここからが本当の勝負だ。

「和江を連れ去る？　何ということだ。そんな剣呑《けんのん》な所に娘を預けておくわけにはいかない。すぐに、引き取らせていただく」

堂安が気色《けしき》ばむ。こちらも、芝居上手《じょうず》なようだ。

加納堂安の真の狙いは、破落戸騒ぎを和江を戻す口実《こうじつ》に仕立てる、そこにあるのではないか。そう看破《かんぱ》したのは仙五朗《せんごろう》だった。その見立ては的《まと》の真ん中を射ていたみたいだ。さすがに〝剃刀《かみそり》の仙〟だけのことはある。

おいちは居住《いず》まいを正し、膝《ひざ》の上に手を重ねた。

「塾頭からの文にも認《したた》めてあると思いますが、その件につきましてお話しするために、我ら二人、ここにやってまいりました」

「話？　今さら、何の話があるというのだ。父親が娘を呼び戻すのに話も手続きも無用であろうが。明乃先生の文には、和江の件について塾生が伺《うかが》う由《よし》と記されておるが、もうこれ以上、話を重ねても仕方あるまい。明日、いや、これからすぐに八《や》名川町《ながわちょう》に迎えをやる」

「あらっ」

おいちは少しばかり頓狂《とんきょう》な声を上げた。

「よく、『香西屋』が八名川町にあるとご存じですね」

「うん？」

「美代さんは一言も、『香西屋』がどこの町内か申し上げませんでしたでしょう。それなのに、加納先生はご存じだったのですね。ああ、そういえば、破落戸が押し入る前に加納家の奉公人らしき者が裏木戸あたりを覗《のぞ》いていたとか。加納先生は前々から『香西屋』の在《あ》り処《か》も和江さんが『香西屋』にいることも調べておられたのですね」

ふんと、堂安が鼻を鳴らした。

「親ならば娘の居場所を知っているのは当たり前、いや、親であれば知らねばならぬだろう。和江は石渡塾に入塾するために家を出たのだし、明乃先生からは江戸にお帰りのさい、開塾の用意を進めているとお知らせいただいておった。わたしも長崎では乃武夫《のぶお》先生に教えを乞《こ》うた一人であったからな。もう二十年も昔になるが……」

堂安の眼差《まなざ》しがおいちを離れ、束《つか》の間《ま》、空《くう》を漂《ただよ》った。

二十年前の日々に心を馳《は》せたのだろうか。そのころ、若き堂安の胸内にはどんな望みや決意が宿っていたのか。「まったく、昔も今も損得勘定《かんじよう》ってものができないお人だねえ。化《ば》け狸《だぬき》なんだから皮算用《かわざんよう》ぐらいすりゃあいいのにさ」。おうたはよく松庵をこき下ろすけれど、昔と変わらずにいるなんて至難《しなん》だ。若い日の想いを褪《あ》させぬまま年を経《へ》ていくことがどれほど稀有《けう》か、おうたはもちろん解《かい》していた。だから、すぐにくすりと笑い「まっ、あの松庵さんが損得の算盤《そろばん》を弾《はじ》き出したら世も末、天変地異の前触れだろうよ。あたしなんか震《ふる》え上がって、動けなくなっちまうかもしれないねえ」と言い足したのだ。

堂安が束の間に何を思ったのか、おいちには察せられない。財も地歩《ちほ》も築き上げながら娘から拒《こば》まれる男、その心内を覗いてみたい気持ちには駆られるが。

しかし、今は父親の来《こ》し方《かた》ではなく娘の行く末に心を向けねばならない。

「和江さんは義絶《ぎぜつ》も覚悟で家を飛び出したのですよね。自分から、『香西屋』の在り処を報《しら》せるわけがないと、これは和江さん自身が言い切っています」

「だから、それは、明乃先生から開塾を目指すとの文をいただいていたのだ。和江はたまたま、その文を目にし、入塾を望んだのだが……。全く、あのとき、安易《あんい》に許すのではなかった。医術を学んだことが、嫁入りの箔付《はくづ》けにもなると……」

「違っているのです」

「違う？　何がだ？」

「石渡塾はさる事情があって、開塾の場所を『香西屋』に移したのです。つまり、以前の居所とは違っております。そのことを明乃先生は加納先生にはお伝えしていないはず。和江さんは苦労して『香西屋』に辿《たど》り着きましたが、むろん、お父上に居場所を報せたりはしなかった。でも、加納先生は和江さんの居る処《ところ》をちゃんと摑んでおられた。それは、調べたからですよね。加納先生のお力をもってすれば、石渡塾がどこにあるか調べ上げるなんて雑作《ぞうさ》もないことですもの」

「だから、どうだというのだ」

堂安が声を荒《あら》らげる。不快を隠そうともしない口調、顔つきだ。

「何度も言うが、親が娘を案じるのは当たり前ではないか。娘がどこにいようが知らぬ存ぜぬでは、親の務めは果たせまい」

「では、なぜ、石渡塾に一度もお出《い》でになりませんでした」

胸を張る。正面から加納堂安を見据える。

「和江さんをあずかる明乃先生と香西屋さんに、よろしくお頼みしますと頭を下げに来る。親としての礼ではありませんか。あなたはそれをなさらなかった。和江さんを心配して、様子を見にも来られなかった。人伝《ひとづて》に尋《たず》ねることもなさらなかった。まるで、気にかけていないような振る舞いでしたよね。なのに、唐突《とうとつ》に、無理やりに、嫁ぎ先が決まったと連れ戻そうとなさる。幾《いく》ら親でも、あまりに無体《むたい》ではありませんか」

「なにを生意気に……。これは加納家の件だ。他人が口を挟《はさ》むことではない」

「はい。無礼《ぶれい》を承知でお願いに参りました。和江さんは、このまま学問を続ける意志を強く、とても強く持っています。どうか、その意志を尊《たっと》んでくださいませ」

再び、低頭する。

「ここまで賢《さか》しらな口を利《き》いておいて、よくも頭を下げられるものだ。石渡塾の程が知れる。そちらこそ、何の礼儀も弁《わきま》えない蓮《はす》……」

堂安がもぞりと口元を動かした。「蓮葉《はすっぱ》な女」とでも口にするつもりだったのか。さすがに、そこまでの罵詈《ばり》は不味《まず》いと唇《くちびる》を閉じたのだろう。

軽く咳払《せきばら》いし、堂安はやや声を低くした。

「ともかく、和江をいつまでもあずけておくことはできんな。明日にでも迎えをやろう。むろん、明乃先生には直《じか》にご挨拶《あいさつ》申し上げる。礼を尽くした挨拶を、な。帰って、そのように伝えてもらおうか」

不意に堂安が立ち上がった。

「お帰りは駕籠《かご》を用意するによって、好きに使われるがよかろう」

とっとと退散しろと言っているのだ。

「和江さんは、今、石渡塾にはおりませんよ」

「うん、何だと?」

「実は今、岡っ引の親分さんに頼んで、『香西屋』さんに押し入った破落戸を捕らえるよう手配していただいております。その親分さんが言われるのに、用心のため和江さんは他所《よそ》に移った方がいいとのことでした。なので、そういたしました。悪《あ》しからずご了承ください」

作り笑いを堂安に向ける。向けられた方は頬を紅潮《こうちょう》させ、眦《まなじり》を吊《つ》り上げた。

「なんと、それなら、なおさら家に戻してくるべきであろう」

「和江さんが嫌《いや》だと仰ったのです。家には帰りたくないと。ですから、香西屋さんの知り合いの家に移ってもらいました。ま、破落戸が捕《つか》まるまでの間だけですから、親分さん曰《いわ》く、そう長くは掛からないとのことでした」

「馬鹿な。親の許しもなく勝手なことを」

「親分さんの忠言《ちゅうげん》なんです。破落戸の正体がわからないなら安易に家に帰さない方がいいと。また狙われる見込みもあるから、破落戸たちに気付かれない所に数日間、隠れていて欲しいとも言われました。ですから、そのようにいたしました」

「たかだか岡っ引風情《ふぜい》に指図《さしず》される謂《いわ》れはない。この屋敷なら、怪《あや》しい者など近寄れもしない。どこより、安全なはずだ」

「そうとも言い切れません。破落戸どもが何のために和江さんを襲ったのか、そこのところがはっきりしていないからです。もしかしたら、身代金《みのしろきん》目当ての勾引かしかもしれないし、加納先生に恨みを、あ、いえ、逆恨みをしているからかもしれない。和江さんと加納先生は同じ場所にいない方がいい、とこれも親分さんからの忠言になります。あ、そんなにご心配には及びませんよ。破落戸どもが捕まる見通しはついておりますから」

　ここで、とびっきりの笑顔を向ける。

「親分さん、あ、〝剃刀の仙〟の異名を持つ仙五朗親分さんなのです。本所深川《ほんじょふかがわ》だけでなくこの辺《あた》りでも名が知れていると思いますが、先生、ご存じでしょうか」

「……岡っ引の名前など知るわけがなかろう」

堂安の黒目が左右に揺れた。

知っているのだ。

おいちは笑顔を崩さず、二度ばかり首肯《しゅこう》してみせる。

「そうですよねえ。これまで岡っ引の親分さんと関《かか》わり合ったことなんかありませんでしょうからね。でも、凄腕《すごうで》の岡っ引と評判なんですよ。とても頼りになりますし」

「おいちさんは、仙五朗親分とはお親しいのよね。親分さん、とてもいい方で困ったときには、いつも助けてくれると言っていたものねえ」

美代が少し膝を前に進めた。

「ええ、どんなときも力になってくださる、ありがたいお方なのよ。加納先生、破落戸の件は近いうちに親分さんがきちんと収めてくださいます。実は、ここだけの話ですけれど……親分さんには破落戸の目星《めぼし》がついているみたいなんです」

声を潜《ひそ》める。

「親分さんは江戸の裏側を知り尽くしています。破落戸だろうが博徒《ばくと》だろうが、主だった悪党の顔も姿も隠れ場所も頭に入っているのですって。すごいと思われません？　思いますよねえ。わたしなんか感心しっぱなしです。その親分さんが目星がついていると言うなら、何の憂《うれ》いもございません。あ、このこと決して他言しないでくださいましね。万が一にも、仙五朗親分が動いていると破落戸たちの耳に入ったら、江戸から逃げ出そうとするかもしれませんので。あくまで、ご内密にお願いいたします」

　そこで立ち上がり、おいちは胸を叩《たた》いた。

「ということですので、この件はどうぞわたしどもにお任せください。全て片付きましたら、改めてお報せにまいります。ほんとうに、ほんとうにご心配はいりませんからね。こちらを信じて、いつも通りにお過ごしください。素人《しろうと》に下手にじたばたされると、かえって捕り物の邪魔になる。おとなしくしておいてもらいたいと、親分さんからの伝言です。では、これで失礼いたします。あ、駕籠は結構です。自分の足で歩いて帰りますので。お心遣い、ありがとうございました」

一礼し、おいちは背を向けた。堂安は一言も返してこなかった。

誰にも見送られないまま、通りに出る。

暫《しばら》く歩いて美代と顔を見合わせ、ほぼ同時に振り返った。

加納家の屋敷は、全てを拒《こば》むように門を固く閉ざしている。見送り人は一人もいなかったのに、おいちたちが門をくぐった直ぐ後、閂《かんぬき》の掛かる鈍《にぶ》い音がした。

「ぷっ」。美代が噴き出し、暫く笑い続けた。

「もう、美代さん、何がそんなにおかしいのよ」

「だって、おいちさんたらすごいんだもの。あんなにお芝居が上手だなんて知らなかった」

「美代さんこそ、なかなかのものだったけど」

「ほんと？　上手にできてた？　なんだか心《しん》の臓《ぞう》がばくばくしちゃって、舌《した》が上手《うま》く回らなかったの。でも、親分さんの名前を出したのは効《き》いたみたいね。加納先生、とたんに黙っちゃって、表情も硬かったしね」

「ええ、破落戸を雇《やと》って騒ぎを起こした当人なんですもの。何にも言えないでしょうよ。まっ、あれだけ脅《おど》しておけば暫くは静かにしといてくれるはず」

仙五朗が破落戸捕縛《ほばく》のために動いている、というのは嘘《うそ》だ。仙五朗は「金で雇われた小悪党でしょうが、ま、お縄《なわ》にするつもりならいつでもできまさぁ。それより、泳がしといて駆け引きの札《ふだ》に使った方がいいと思いやすがね」とあっさり言ってのけた。おいちも、正助《しょうすけ》や平五郎《へいごろう》の件でいつにも増して忙しいだろう仙五朗を煩《わずら》わせる気はない。ただ、好きに名前を使っていいと許しは得ていた。

「でも、これは一時凌《しの》ぎに過ぎない……。和江さんが連れ戻されずに学び続けられるように、きちんと考えなきゃあね。そのための手立てを思案する日数を稼いだってところかなあ」

「そうねえ」

「美代さん、何か思案があるの？」

「うーん。思案と言うほどじゃないけど……和江さん、思い切って江戸を離れたらどうかなってふっと考えたのよ」

「え？」

「明乃先生の伝手《つて》を頼って、思い切って長崎に遊学したらどうかなって」

「長崎遊学……」

「ええ、和江さんが本気で医の道を究《きわ》める気があるなら、それも一手でしょ。江戸を離れてしまえば、さすがの加納先生も手が出せないでしょうし。もちろん、和江さんにそれだけの覚悟があればの話だけれど」

「そうね、確かに……」

長崎遊学。

そっと息を呑み込んだ。

松庵も十斗《じっと》も目の前にいる美代も通った道だ。おいちにとっては、遥《はる》か遠くに浮かんでいる幻《まぼろし》だった。白い美しい幻だ。

焦《こ》がれたときがあった。

異国の技《わざ》を学び、医者として力を蓄えたい。父のように、兄のようになりたいともがくように望んだ日々があった。

いや、今でも長崎遊学と聞くだけで胸の底が疼《うず》く。でも、このところ、その疼きが少し柔《やわ》らかくなった。おいちは自分がどれだけ恵まれているか、やっと気が付いたのだ。長崎まで行かずとも、すぐ傍《かたわ》らに松庵がいる。十斗がいる。美代が、石渡明乃がいる。学ぶ相手がこんなにもいるのだ。

まずは吸い上げる。この人たちの技を、知を、意気を、心構えを、その全てを吸い上げて自分の力に変える。何年も長崎遊学するのと同じくらい、もしかしたらそれ以上の糧《かて》になるかもしれない。

そんな風に考えられるようになった。新吉《しんきち》が共に生きてくれるのも心強い。恵まれ、幸せだと神にも仏にも亡き母にも手を合わせたい。もっとも、いつもそうではない。いつも心強いわけでも、いつも幸せを噛《か》み締《し》められるわけでもないのだ。

しょっちゅう心が曇《くも》る。迷いや悩みや焦《あせ》りや戸惑いが、黒雲のように広がり、晴れた清々《すがすが》しい心を覆《おお》い隠してしまう。

この前は、古い思案を潰《つぶ》すなんて威勢のいいことを言ったけれど、母親になる不安も、塾生たちに取り残されるのではないかという怯えも胸の内を駆け巡《めぐ》っている。

大丈夫、あたしはやれる。

臆《おく》せず前に進んでいけばいい。険《けわ》しいけれど道はあるんだ。

でも、赤子《あかご》を育てながら学ぶなんて、本当にできるだろうか。できる人もいるだろう。美代さんみたいに聡明《そうめい》だったら、明乃先生のように医道を見詰める力があれば……。でも、あたしにそれだけの能が力があるだろうか。

あたしは恵まれている。

あたしは幸せだ。でも……不安だ。怖い。先が見えなくなる気がする。

ううん、大丈夫。あたしは大丈夫。

いろんな想いがまだ、おいちの中で渦《うず》巻《ま》いている。きっと、ずっと渦巻き続けるのだろう。その想いを抱《かか》えて、生きていくしかない。

とん。お腹《なか》を蹴《け》られた。とても優しく、蹴られた。

「えっ」

「うん？　おいちさん、どうかした」

「あ、いえ。あの……今、お腹の中から蹴られたみたいな……」

「えっ、すごい。わたし、身籠《みごも》ったことがないからよくわからないけれど、そろそろ動き出すころなのね、赤ちゃん」

「あ、うん。でも、ちょっと早いかも。はっきり蹴られたもの」

「はは、おいちさんに似ているのね。せっかちで元気なんだわ。新吉さんに似てたら、もう少し控えめなんじゃないの」

「まっ美代さん、言い過ぎ。あたしだって遠慮したり、控えたりすること結構、あります」

「えー、ほんとかなあ。でも、わたしはせっかちで元気で、度胸があるおいちさんが好きよ。今日だって、おいちさん、あの加納堂安を前にして全く怯《ひる》んでなかったでしょ。わたし、本当は脚《あし》が震えてたの。でも、堂々としたおいちさんを見てたら、すごく落ち着いてきたわ。仙五朗親分も仰ってたけど、おいちさんに付いて行ったら間違いなしって気になる」

「やだ、頼りにしないで。あたし、間違いだらけなんだから」

まるで手習い帰りの娘のように、おいちと美代は肩をぶつけ、笑い合った。

「けれど、長崎遊学となると、相当のお金が入り用《いよう》よね。公儀や藩、お大尽《だいじん》が後ろ盾《だて》についてくれるならともかく、わたしたちでは和江さんを送り出すのは無理よね」

　笑みを引っ込め、美代がため息を吐く。おいちも頷くしかなかった。

「お金かあ。縁がないなあ」

「ないわねえ。路銀《ろぎん》ぐらいしか出せないでしょう。和江さんに覚悟があっても、先立つものがなければ絵に描《か》いた餅《もち》だものねえ」

「いや、あるんじゃない」

「え、どこに？」

「加納先生なら、それくらいの費《つい》え、出せるんじゃないかな」

「まっ、おいちさん、何を言ってるのよ。加納先生がそんなお金を出すわけないでしょ。娘を身代《しんだい》目当てで、お大尽の許《もと》に嫁がせようとしている人なのよ」

「そうなんだけど……」

おいちは僅《わず》かに首を傾《かし》げた。

加納堂安は和江を愛《いと》しいとは思っていないのか。自分と同じ道を行こうとする娘を支えたいと、ほんの一瞬でも考えなかったのか。

父親って、どうなんだろう。

「おいちさん？」

「え、あ、うん。そうだね。でも、いろいろと考えてみましょ。端《はな》から無理って決めつけたら、そこまでだもの。ともかく、暫くは和江さんを守ることができるから」

あの血だらけの幻も気になる。和江の行く末には、たくさんの難所が待ち受けているみたいだ。けれど、今日は何とか上手くいった。そこを喜ぶしかない。

「おいちさん、わたし、菖蒲長屋にお邪魔しても構わない？　できれば、松庵先生のお手伝いがしたいのだけれど」

「もちろん。今日は午後から兄さんが往診に出掛けてしまうの。父さん、てんてこまいしているはず。美代さんが来てくれると喜ぶわ。それに、和江さんのことも気になるんでしょ」

「あら、お見通しね。じゃ、急ぎましょ。あ、急いで大丈夫？」

「もちろん」

足を速《はや》め、菖蒲長屋に帰り着いたとき、家の前には患者の列ができていた。

「あら、大変。みなさん、すみません。お待たせしちゃって」

「おいち先生、やっと帰ってきたのかい」

「お願いしますよ。昨日から具合が悪くて」

「もう一刻《いっとき》近く待ってるんですがね」

「はいはい、わかりました。もうちょっと待ってくださいな。立っていられないほど気分の悪い人、いますか。急病の方は悪いけど先にさせていただきますね。美代さん、みなさんの脈をはかってあげてくださいな」

「はい」

「父さん、遅くなりました。ごめんなさい」

袖を括りながら、診察用の一間《ひとま》に飛び込んでいく。

「おお、おいち、待ってたぞ」

松庵が額《ひたい》に汗を滲《にじ》ませて、息を吐き出した。

「おいち先輩、お帰りなさいまし」

姐《あね》さんかぶりに白い襷《たすき》姿の和江が、むずがる子どもを抱き抱え、頭を下げた。

その額にも汗が浮かんでいる。

おいちは和江に向かって微笑《ほほえ》むと、上《うわ》っ張《ぱ》りに腕を通した。


〈つづく〉

世界はきみが思うより

第十回 チョコレート・サンドイッチとぼくたちの未来について（後編）

寺地はるな
Terachi Haruna

地図を頼りに、道枝《みちえだ》くんの両親の家を目指す。二度ほど引っ越しているらしく、今回の家には道枝くんもはじめて行くという。駅からはずいぶん遠い住宅街で、あっちの角を曲がったりこっちの路地を進んだり、公園にぶちあたって地図を見直したらさかさまに見ていたりとさんざんなめにあったすえ、一軒の家にたどりついた。途中何度も道枝くんのスマートフォンが鳴った。両親からの電話なのだろうが、道枝くんは出ようとしなかった。たぶん緊張しているだろうから刺激しないように静かにしていようと思っていたのに、うっかり「え。ふっつー」という正直な感想が漏《も》れ出た。

「どんな家を想像してた？」

どんなって、と口ごもった末、正直に「小説を書いてるような人やし、どっかしら変わった家なんやろうなって」と答えた。

「書いてるんじゃない。書いてたんだよ」

道枝くんは不機嫌《ふきげん》そうに呟《つぶや》き、インターホンを鳴らそうとした。が、持ち上がった指が、ゆっくりとおろされる。

「やめた。やっぱ、やめた」

「え？」

道枝くんはくるりと踵《きびす》を返し、来た道を早足で戻りはじめた。あわてて後を追う。

「ちょっと、待って道枝くん」

「お腹空いたな。冬真《とうま》、あのお弁当、ふたりで食べない？」

「いや、待ってって、ねえ」

「たぶん、サンドイッチだと思うな。菜子《さいこ》さんのサンドイッチはおいしいよ」

「道枝くん！」

なんとか追いついて、腕を摑《つか》んだ。

「会いたくないいんだよ！」

道枝くんは大きな声を出しながら、ぼくの手を振り払った。

「やっぱり、嫌なんだ」

泣きそうになっている道枝くんにたいして、「いやでも、ここまで来ておいて」という苛立《いらだ》ちがないと言ったら、嘘《うそ》になる。でも本人が嫌だと言っているのに無理強いするわけにもいかない。

「……わかった」

ぼくが言うと、道枝くんはなぜか「え？」と意外そうに顔を上げる。

「わかった。嫌なんやろ？　ほんなら、やめよ。あ、それ持つわ」

道枝くんの肩から、トートバッグをおろさせた。今はこれぐらいしか、してやれないから。片手に持って、道枝くんの先を歩き出す。

「さっき公園あったよな。あそこで食べへん？」

腹減ったわあ、と笑いながら、どんどん歩いて行った。背後で道枝くんが泣いているみたいな声で「ごめん」と言ったけど、聞こえなかったふりをした。

公園は、ちょっとのゆり池公園に似ていた。こっちのほうがずっと小規模だし、公園なんてどこも似たり寄ったりかもしれないけど。

入り口の近くに丸太のテーブルを囲むように切り株《きかぶ》の椅子《いす》があった。そこに並んで腰を下ろし、お弁当を広げる。

道枝くんの言ったとおり、なかみはサンドイッチだった。ひとつひとつワックスペーパーで包んである。ローストポークにサラダ菜のサンドイッチはマスタードがたっぷり塗《ぬ》ってあった。辛《から》くて鼻の奥が痛くなるけど、すごくおいしい。途中の自動販売機で買ったミルクティーにもよく合う。かぼちゃのサラダを挟《はさ》んだサンドイッチもあった。サラダにはくるみとレーズン、角切りのクリームチーズが入っている。食べ慣れない味だなあ、と思ったけど、すぐに好きになった。

「待って、これ、なに？」

新しい包みを開いて、思わず声を上げる。全粒粉のパンに板チョコレートが挟んであった。

前回までのあらすじ

進路について話をするため、離れて暮らす両親と会うことになった道枝《みちえだ》くん。一方冬真《とうま》は、弓歌《ゆみか》に道枝くんへの恋心を打ち明けたことをきっかけに、自分の気持ちがなかったことにはできない確かなものに変わったことを自覚していた。両親の家に行く日が近づくにつれて、次第に元気がなくなっていく道枝くんを心配した冬真は、一緒についていくことを決めるが……。

「チョコレートのサンドイッチ」

「チョコレートって」

「食べたことない？」

「ないよ。やんちゃなサンドイッチやな。おいしいけど」

「そんなにやんちゃかな？」

食べているうちに、道枝くんの表情も口調もいつもどおりになってきた。

サンドイッチはまだ半分以上残っていたけど、ふたりともおなかいっぱいになってしまった。

「やー、おいしかった」

ワックスペーパーを丸めていると、道枝くんが「ごめんね」と呟いた。

「ここまで来て会わずに帰るとか、バカみたいだよね」

「べつに。遠足に来たと思えばええんちゃう」

なんとも思っていないような声が出せたことにほっとして、あとを続ける。

「ぼくは、道枝くんの嫌がることはしたくないから」

返事はなかった。心配になって隣《となり》を見ると、道枝くんは正面を向いたまま、ぼろぼろ涙《なみだ》をこぼしていた。

「泣いてんの？　そんな嫌やったん？」

やっぱり返事はない。いきなり抱きつかれ、理解がおいつかないまま、おそるおそる頭を撫《な》でてみる。道枝くんはぼくの肩に顔を伏《ふ》せたまま、静かに泣き続けた。

「冬真は、なんでそんなにやさしいの」

くぐもった声が聞こえる。ぼくはしばらく迷った末に「道枝くんが好きやからかな」と答えた。道枝くんが息を呑《の》む音が聞こえ、あわてて「冗談やで」とごまかす。

しばらく、おたがい黙《だま》ったまま、抱き合ったままじっとしていた。やがて道枝くんがゆっくりと身体を離しながら「どっち?」と感情の読めない声で問う。

「え?」

「好きなのか、冗談なのか。冬真のほんとうの気持ちは、いったいどっち。ごまかさないでちゃんと言ってほしい」

泣きはらした目でそれでもまっすぐにぼくを見つめる道枝くんに、もうずるい手段はつかえないと思った。

「好き」

言ってから、なにかそれだけでは足りない気がして「です」とつけたす。道枝くんが小さく噴《ふ》き出《だ》して、目尻《めじり》に残っていた涙がこぼれ落ちた。

「おれも」

「です」

「え」

道枝くんは言ってから、また笑った。泣いたせいで赤くなっている道枝くんのかたちの良い鼻をつまんで「笑うなや！」とぐいぐい左右にひっぱってやった。そうでもしないとこの状況が信じられなさすぎて、奇声《きせい》を発しながら公園じゅうを走り回ってしまいそうだった。

道枝くんも同じ気持ちのようで、「え、いつから？　ねえ」と椅子の上で飛びはねんばかりだ。

「いつのまにか、としか言いようがない」

ほんとうに、いつのまにか、だった。友だちとしての好意なのか恋愛感情なのか、自分でもよくわからないまま、たしかめることもできないまま、そばにいた。はっきりと自覚したのは今朝のことだとは、さすがに言えなかった。

「おれは、冬真がはじめて家に来てくれた日から」

あの時、弓歌《ゆみか》が失礼なこと言ってさ、という道枝くんの言葉に頷《うなず》く。たしかに、とても失礼だった。

「なのに冬真は、弓歌に向かって『そんなつもりはなかったけど、そう見えたってことはそうやってことで、だから、いったんちゃんと受け止める。でも時間かかるかも』って言って帰ったよね。弓歌はなに言ってんのこの人、みたいな顔してたけど、おれはすごく、なんだろう、感動したんだよ。信頼できるなって思った。口先だけで謝ったりしない冬真が、すごくかっこよく見えた」

　道枝家を飛び出す直前に、これだけは言っておかねば、と伝えたことは、もちろんぼくも覚えている。ただ声も手足も震えていて、思い出すだけでのたうちまわりそうになるから、今日まで記憶を封印《ふういん》していた。まさか道枝くんから信頼されるきっかけになっていたなんて、思ってもみなかった。

「冬真」

　道枝くんの目に、ぼくの惚《ほう》けたような顔がうつっている。名を呼び返そうとした直後に、背後で「鋼《こう》！」という鋭い声がして、飛び上がる。

　細面《ほそおもて》の、色の白い男の人が立っていて、ひと目で道枝くんのお父さんだとわかった。顔の造作がどうというより雰囲気がよく似ている。

「なにをしてるんだ、こんなところで」

　聞かされていた到着予定時刻をずいぶん過ぎているのに来ないから、心配になって探しにきたのだという。

「電話しても出ないし」

　びっくりするだろ、とため息を吐《つ》きながら額に手を当てている。道枝くんはすねた子どもみたいに、そっぽを向いた。

「あの、ぼく」

椅子から立ち上がって、おどおどと名乗りながら、どのあたりからだろう、と思った。どのあたりから見られていたんだろうか。もしや「好き、です」のくだりから？

「香川《かがわ》冬真くんね。菜子から話は聞いてます。こんなところまで鋼についてきてくれたんだね。ありがとうね。いい友だちがいて、安心しました」

道枝くんのお父さんがややぎこちなく頭を下げるので、ぼくもそうした。

「たった今ただの友だちじゃなくなったよ、ぼくと冬真は。どう？　びっくりしてる？」

「鋼、お前」

「お前、じゃないよ、えらそうに。だいたいなんなの？　今までずっとほったらかしだったくせに、大学には行かないって言っただけで大騒《おおさわ》ぎしてこんなところまで呼び出して」

「将来のことを、ちゃんと話し合おうと思ったんだよ。だから」

うるさい、と道枝くんが叫《さけ》ぶ。きゅうにどうしたのかと思うほど幼い声だったし、「落ちついて、ね」となだめる道枝くんのお父さんの態度も、幼児にたいするそれだった。

「おれたちが大阪に越してきたあと、いっぺんでもおれや弓歌に会おうって言った？　思ってくれた？　言っとくけど、おれ今将来とかどうでもいい。どうでもいいよ。冬真とこんなふうに喋《しゃべ》ったり、なんか食べたり、そういうことしか考えられない、今んとこ。それしかしたくないんだから、話すことなんかない」

彼らが話すのは、もしかしたらものすごくひさしぶりのことなのかもしれない。幼児とその親、という関係性のまま、コミュニケーションのパターンが更新されていないということなのでは、とぼくは混乱しながら、それでもなんとか分析をこころみる。だとしたら、それはとてもよくないことである、という結論が出た。

「道枝くん、行っといで」

ぼくここで待ってるし、と言ってから、なんと続けようか迷った。結局、「行っといで。ここで、ちゃんと待ってるし」と同じ言葉を繰《く》り返《かえ》しただけになった。

道枝くんは長いことリュックの持ち手をいじいじと弄ったすえに、「……わかった」と立ち上がる。彼らが連れ立って公園を出ていくのを、息をつめて見送る。

待っているあいだに考えていたのは、道枝くんのことではなく、自分のことでもなく、なぜか母たちの「おかずシェアの会」のことだった。やっかいなことを他人と共有する、という、なんだろう。術《すべ》、みたいなものについて。あの人たちは大人で、大人になるということはもしかしたら、うまく人に頼れるようになることなのかもしれない。自分ひとりで解決できる物事には限りがあると知ることが、大人になることなのかも。そこまで考えてから、やっぱり違うかも、と思った。というか、どうでもよくなってきた。

サンドイッチの包み紙が、ひとつだけテーブルの上に片付けられずに残っていた。いつのまにか平気で食えるようになったな、とそれを眺《なが》めながら思う。ちょっと前まで、他人の手づくりの料理がまったく食べられなかった。

道枝くんがつくっていた、あのなぞのドーナツに似たお菓子《かし》を食べて。あかりちゃんと、吉良《きら》さんがそれぞれに抱えているものを知って。桂《けい》さんが誰かの大切な人であることを知って、母の言葉を借りるならば、ぼくはそうやって、すこしずつ「世界への信頼」を取り戻していったのかもしれない。

どれぐらいそうやって座っていただろう。道枝くんのお父さんがひとりで公園に入ってくるのが見えて、姿勢を正した。

「あの、道枝くんは?」

「妻とふたりだけで話をしてます」

座ってもいいかな、と椅子を指し示す。どうぞ、と頷いて、テーブルの上に散らかしていた荷物をまとめて引き寄せた。道枝くんのお父さんはぼくの隣ではなく、正面の椅子に腰をおろす。

「きみが鋼にどういう話を聞かされてきたかも、きみの目にわたしがどう映ってるかも知りませんが」

ぼくは黙ったまま、言葉の続きを待った。

「これでも、鋼や弓歌を、大事に思っているんです。それは理解してほしい」

「はい」

わかります、とは言わなかった。ほんとうに、まったくわからないし、わかりたくもない。

どうして、子ども側にわかってほしがるんだ、とも思う。なんでそうやって、すぐ子どもに許されようとするんだ。愛されようとするんだ。

なんでそんなにもたくさんのことを、子どもに求めるんだ。

ぼくが黙っているので、道枝くんのお父さんもなにを話したらいいのかわからなくなったようだった。視線を泳がせたあと、意を決したように顔を上げる。

「失礼だったら申しわけないんだけど」

「失礼だと思うなら口に出さないほうがいいと思います」

目上の他人に向かって言っていいことかどうか考える前にその言葉が口から出

て、自分でもびっくりした。道枝くんのお父さんはたじろいだように目を泳がせたが、ふたたび口を開く。

「鋼はきみのことをもうただの友だちじゃないって言っていたけど、それは恋人という意味？」

　恋人かどうかはわからない、今さっきおたがいの気持ちをたしかめたばかりだから、ということを、ぼくはこの人に言いたくなかった。その件についてはもうすこし自分の中に大事にしまっておきたい。

　それに道枝くんのお父さんがそれを知ってどうするつもりなのかわからない。息子を幸せにできるのかね、とかなんとか言われたら、あんたが言うなよ、と言ってやろうと思った。でも道枝くんが戻ってきたので、質問には答えられないまま終わった。

「あとで電話するよ」

　道枝くんは囁《ささや》くように言って、サンドイッチの残りが入っていたトートバッグをお父さんに押しつけた。

「鋼、お前は」

「はやく戻ったほうがいいんじゃない？　お母さんをひとりきりにしないほうがいい」

道枝くんのお父さんはまだなにか言いたそうだったが、やがてあきらめたようにため息をつき、公園を出ていった。

「進学のことは、もういちど考えてみるから」

その背中に向かって、道枝くんが叫んだ。道枝くんのお父さんは一瞬立ち止まり、小さく頷いてからまた歩き出した。

「帰ろう」

「うん」

道枝くんは、家でどんな話をしたのかをぼくに言わなかった。ぼくも訊《き》かなかった。駅前の観光案内所に入って、そこでご当地キャラクターのへんなシールを見たり、銘菓《めいか》コーナーで試食をさせてもらったりした。

なんとなく足元がふわふわしていた。隣にいるのは今までと一緒なのに、なにかが確実に違っていて、落ちつかなくて、でもふしぎと気分は悪くない。

「ああ、疲れた」

帰りの電車に乗りこんだ直後に、道枝くんがぼやいた。

「最高なことと最悪なことが、今日一日に凝縮されてる」

うん、と答えてから、あらためて隣にいる道枝くんに向き直る。

なにかを察したらしく、道枝くんも居住まいをただした。

「さっき、将来とかどうでもいい、って言うとったけど、それは、ちゃんとせなあかんと思うで」

電車の中で見つめ合っているぼくたちを、ななめ前の席に座っている女の人が怪《け》訝《げん》そうに何度も振り返るのがわかったが、かまわない。好きなだけ見ればいい。好きなだけ勝手な想像を繰り広げればいい。どうせ、他人は好き勝手に他人を消費する。

「ふたりで喋ったりなんか食べたりすんのが楽しいって、それはぼくも同じ気持ちや。でもそれだけではやっていかれへん」

「うん。そうだね、そうだね。うん。わかった」

道枝くんが眠そうに目を擦《こす》る。

「ほんまにわかってる?」

「あとで、ちゃんと話そう」

さすがに今は疲れすぎ、と道枝くんは呟いて、ぼくの肩に頭を預けた。

「でも、これだけは確認しときたいんだけど」

目を閉じたまま、道枝くんが言う。

「道枝くん」

「なに」

「おれたちは今日からつきあうということでいいの？」

また脈が速くなってきた。

「いい、と、思う、よ」

「思うってなに」

「だって今まで誰ともつきあったことないし、勝手がわからへん」

「おれはあるよ」

「へえ、そうなん」

声が尖《とが》るのを抑えられなかった。道枝くんはもてるだろうし、当然と言えば当然かもしれないけど。

「中学生の時。相手は女の子だったけどね」

それはどういう「つきあい」だったのだろう。ああいうこととか、そういうことをしたのかと、知りたいような知りたくないような、そう思っていること自体を悟《さと》られたくないような、わけのわからない突風みたいな衝動がぼくを苛んだ。

「すぐに別れちゃったんだけどね。なんか、違うなあって思ったから」

そうなん、ともう一度言って、このことを言おうか言うまいかと、しばし悩んだ。

「ぼくの初恋の相手はな……男やった」

悩んで、悩んで、ようやく口にした。同じ保育園だったあっくんのことは、誰にも話したことがなかった。あっくんと結婚する、と言った時、母は「あっくんは男の子やで」とぼくに言った。「友だちとして好きって意味やんな、な」と何度も、ぼくの両肩に手を置いて、心配そうに何度も確認した。母があの時どういうつもりでそんなことを言ったのかはわからない。でも母にこんな顔をさせた自分を、とても悪い子だと感じた。

だから、なかったことにしていた。誰にも話さないだけじゃなく、なかったことにしようとしていた。ぼくは周りの友人と同じように自分は女の子が好きだと思いこもうとしていたし、それはほとんど成功しかけていた気がする。道枝くんと仲良くなるまでは。

ぼくがその話をするあいだ、道枝くんはなにも言わなかったので、眠ってしまったのかと思った。でも覗きこむと、目が合った。

「タイムマシンがあったら」

「タイムマシン?」

「おれは過去に行く。ちっちゃい冬真に会いに行く」

「会って、どうすんの」

「きみは悪い子じゃないし、なんにもまちがってないよって言ってやる」

しばらく黙って、電車の揺れに身を任せる。夢の中にいるみたいだと思ったけど、肩の重みと服越しに伝わる体温が、夢ではないことを教えてくれた。

「とつぜん知らん高校生に話しかけられても、警戒するだけやで」

「そっか。だめか」

「うん。もう、今言うてもらったし、それでじゅうぶん」

道枝くんは考えこむように黙りこんでから、それからぼくの膝《ひざ》に手を置いた。

「じゃあ、その子と仲良くなる以前の時代に行く。そしておれが冬真の初恋の相手になる」

「なんやそれ」

「ちっちゃい冬真に、おれは『未来で待ってるよ』って言うの。そして高校で再会する。感動的じゃない？」

道枝くんは何歳のぼくからもまちがいなく好かれる自信があるんだなと思ったら笑えてきて、だからよかった。泣かずに済んだ。

「すこし寝よ、道枝くん」

すこし眠って、それから未来のことを考えよう。道枝くんが安心したようにふたたび目を閉じるのを見届けてから、ぼくもゆっくりと目を閉じた。

〈つづく〉

桜風堂夢ものがたり2　第十一回

第二話　時の魔法（中編その2）

村山早紀
Murayama Saki

　のんびりとお風呂に入り、疲れた体を温め、部屋に備え付けの浴衣《ゆかた》に着替えて、苑絵《そのえ》は良い気持ちで、部屋に帰ってきた。

　冷蔵庫を開けて、炭酸水をグラスに注ぐ。

　グラスの中で、銀色に踊る泡を見ているうちに、軽くため息が出た。

「寝たら、今日が終わっちゃうんだなあ」

　桜風堂書店で思い切り働けて、お客様やお店のひとたちとたくさん話せて、笑えて。そのあとのバーベキューも楽しくて、とても楽しかったから、眠ってしまうのが惜しかった。

目が覚めたら、もう帰る日だ。

窓のカーテンを閉める前に、漆黒《しっこく》に染まった夜景を見た。黒曜石《こくようせき》のような夜空に、星が灯《とも》っている。眼下に黒々と一面の海のように広がるのは、晩秋の草原だ。かすかに揺らめいて見えるのは、草波が風に吹かれているのだろう。窓は山の方を向いているので、人里の灯《あか》りは見えず、その分、夜の美しさが際立《きわだ》つように思えた。そびえ立つ山の名は、風早《かざはや》の街からも見える、妙音岳《みようおんだけ》だ。夜空を切り取るように、圧倒的な黒さでそこにある。

ああ、闇の色だ、と思った。

果てしなく塗りつぶしたような光のない黒なので、奥底が深く見える。天文の写真集で見た、ブラックホールのようだ。

その闇の色の暗さと、見上げるような大きさに、畏怖《いふ》は感じるけれど、逃げ出したいような、生物的な怖さは感じない。その闇色の中に、かすかな息吹《いぶき》のようなものを感じるからかもしれない、と苑絵は思った。ガラス越しでも伝わってくる、山の生きものたちの――あるいは精霊や神様やそんな者達の――かすかな吐息や、闇の中で身じろぎする気配を感じるように思うからかもしれない。

苑絵は闇を恐れない。あの闇の中に溶け込めば静かに眠れるような気さえする。野の獣たちとともに、草原で眠り、闇に紛《まぎ》れて走ることも出来そうな気がする。

あの闇が懐かしかった。

「わたしは魔女だから――」

ささやくとガラス窓が白くけぶった。

そこに映る自分の顔に微笑みかけて、苑絵はカーテンを静かに閉めた。

「もう寝ないとね」

苑絵は魔女だけれど、ひとの中で暮らすと決めた魔女だから、闇に帰ることを願ってはいけないのだ。友達も好きなひとも人間で、働く場所は人里なのだから。光の中で笑って暮らす幸せを知っているから、だから。

闇に背を向けて眠ろうと思う。

灯りを消して、ベッドに入って、それからどれほど時間が経《た》ったろうか――。

ふいに目が覚めた。

見えない手でそっと揺り起こされたような、そんな風に、瞬時に目が開いた。

枕元の時計を見ると、まだ四時になったばかり。夜明け前だ。部屋の中はいまだ夜の闇が静かにわだかまり、辺りはしんとしている。

「早く目が覚め過ぎちゃったなあ」

眠らないと、体が持たないような気がしたけれど、なぜだか目がさえてしまって、目をつぶっても眠れない。

「ああもう、起きちゃおうかな」

本でも読んでいれば、じきに夜が明けるだろう。夜明けを見るのは素敵なことだ。この部屋の窓から見る夜明けの空は、どれほど壮大で美しいだろうと考えると、胸が躍った。夜明けを見てからホテルの大浴場に行くのもいいかも知れない。そしてゆっくりルームサービスの朝食をとって、なんて考えると、今日、ひとりでこの地を離れることの寂しさを、束《つか》の間《ま》忘れられるような気がした。

そのとき、誰かの泣き声が聞こえた。

風が吹きすぎるような、静かな、か細い声だったので、苑絵がそうと気付くまで、ずっと泣き続けていたのかも知れなかった。

(どこからだろう——?)

枕元の灯りをつけ、身を起こして、声が聞こえる方を探した。

たぶんホテルの外ではない。建物の中の、どこか近いところで、誰かが泣いている。

か細い、悲しそうな声だ。押さえようとしても吐息のように漏れてしまう、というような、すすり泣く声。果てしなく、悲しそうな声。

子どもの泣き声だと思った。

浴衣の上に半纏《はんてん》を羽織って、苑絵は床に降りた。スリッパに足を通す。

泣いている子どもがいるのなら、探してあげないといけない。

立ち上がり、歩き出そうとした、そのときだった。

誰かにそっと袖を引かれたような気がして、苑絵は振り返った。

かさり、と何かが床に落ちる音がした。

拝み屋のおばあさんからのプレゼントの、あのお守りが床に落ちていた。

昨夜、ベッドサイドのテーブルに置いて眠ったのだけれど、それが袖に引っかかって落ちたらしい。

大切に拾い上げ、浴衣の胸元にはさんで、苑絵は部屋を出ようとした。

部屋の扉を開ける前に、すぐに泣き声がどこから響くのかわかった。

向かい側の部屋からだ。

そこで、誰か子どもが泣いている。

どきりとしたのは、その部屋が、画家のローズ・Rが、もう八十年ほども昔の、戦後すぐの時期に、長く滞在していた部屋だと聞かされたことが頭をよぎったからだった。

そんなことはあり得ないとわかってはいても、束の間、遠い過去の、少女時代の彼女がその部屋にいた時間と、いまがつながったような、そんな目眩《めまい》を感じたからだった。

「――本の読みすぎって笑われちゃうな」

ゆるく首を振った。

物語の中では、そんな風に、主人公が時を越えるなんて出来事がいくらでも起こりうるけれど――過去へ未来へと時を越えて、出会えないはずだった誰かと出会ったりも出来るけれど――そうだ、『トムは真夜中の庭で』のトムとハティのように――現実の世界では、そんな不思議は起こりえないのだと、苑絵は知っている。

ということは、あの悲しげな泣き声は、のちに画家になった昔の少女ではなく、現実の、というか今の時代の、このホテルの泊まり客だということで――。

「お父さんとかお母さんとか、一緒じゃないのかな？」

ひとりで部屋にいるのだろうか。こんな時間に。

あれは、ひとりぼっちの子どもの泣き方だと思う。

(それにしても、今夜は向かいの部屋には、お客様が泊まっていないって、ベルさん、そういってたような？)

言葉を何か聞き間違えたろうか。それとも、遅い時間になって、泊まり客があったとか？

泣き声はいよいよ悲しそうだ。

ひとつため息をついて、苑絵は自分の部屋の扉に手をかけた。——ひとりきりで泣いている子どもを放ってはおけない。

苑絵は元々、小さなものや子どもたちの味方であり、その守護者でありたいと思っている人物であり、何よりも——書店にいないときでも、接客業についている人間のひとりとして、困っている誰かの存在を知れば、自分の手でなんとかしてあげなくては、と、無意識のうちに背筋《せすじ》に力が入る質《たち》だ。

両親には、「全くこの子は、生まれつきの書店員さんみたいになっちゃって」と、笑われてしまうほど、そんなとき、自分の表情が変わることを知っている。

泣き虫で、繊細を通り越してやたらと過敏な、我が身の弱さを知ってはいても、困っている誰かがそこにいれば、その手を差し出し、背中にかばうことが出来る、自分はそんな人間だということを知っている。

「苑絵は強いよね」

子どもの頃からの親友である渚砂《なぎさ》にも、そういわれたことがある。「ふだんは可愛いうさぎさんみたいなのに、お客様や子どもたちのためならライオンみたいになれるもの。正直、わたしはさ、苑絵よりもずっと強くて丈夫に出来てると思うけど、苑絵みたいには誰かのために頑張れないと思う。いざというときは、冷静に見捨てるし、ほっとくと思うな。わたしは他人には冷たいし、きっと、好きなひとにだけしか優しくできない。つまりは、お客様みんなには優しくなれないもの」

なんてすれたようなことをいっていたけれど、なんてことはない、渚砂だっていざというときは、全てのお客様――他人を守るべく動くだろうと苑絵は思っている。

苑絵が思うに、渚砂は多分、自分がそう思っているほどにはクールな人間ではないし、根が優しい、ヒーローのような善人で、ただ少しばかり無器用で、自己評価が低い、あるいは完全主義者で、自分に課したハードルが高いだけの人間なのだ。

だからそのとき、苑絵は答えた。

「わたしたち、お店に勤めて長いものね」

特に苑絵は、絵本と児童書を担当して長いし、元々子どもが好きだから、泣いている子どもをそのままにはしておけない。それはいつどんなときでも、そうなのだ。

それでも部屋の扉が開く一瞬、フロントに電話をしてお任せした方が正しいのかも、と思ったけれど（そもそもここは、彼女の店ではないのだし）、まずは自分が廊下に出て、向かいの部屋の様子をうかがってから電話した方が早い、と脳内で打ち消した。

この時間でも夜勤のひとは起きているだろうけれど、もし仮眠でもとっていたらと思うと、起こすのは気の毒でもあった。

部屋の扉が開き、苑絵は廊下へと足を踏み出して——。

一瞬、我が目を疑った。

夜明け前のホテルの、しんと静まった廊下の向こうの、ここことは向かい側にある部屋の——双子のように、苑絵の部屋と同じように出来ているその部屋の、扉が開いている。

「——どうして?」

ホテルの部屋の扉は、中途半端に開いていても、自然と閉まるように出来ているものだ。少なくとも、苑絵が泊まったことがあるホテルは、どこもそうだった。扉にドアストッパーでもはさまない限りは、開いたままになるなんてことはないはずだ、と思う。

けれど、いま目の前のその部屋の扉は開いていて、そして、ブルーグレイの夜の闇が詰まったように、薄暗く見えるその部屋の中から、あの悲しげなすすり泣く声はたしかに聞こえていた。

苑絵は、信じられないような気持ちのまま、迷いながら、廊下を渡り、その部屋に近づき、そして見たのだった。

暗い部屋の床にうずくまる、肩の骨が浮き出て見えるほどに痩せ衰えたひとりの少女と、床に広がる絵の具やパステルと、イーゼルにキャンバスの群《むれ》を。

画材に埋もれるようにして、うつむいたその少女は、華奢《きやしや》すぎる腕と手で自分の顔を覆《おお》い、力なくすすり泣いている。世界から隠れようとするように、からだを丸め、小さく小さく身を縮めようとしていた。

苑絵の視線に気づいたのか、弾《はじ》かれたように顔を上げた。目ばかり大きく見える痩せた顔で、乾いた唇を震わせて、苑絵を見上げた。

十代半ばくらいの、か細い少女だった。痩せ衰えているからなのか、小学生くらいの子どもにも見えた。闇に浮かび上がるその顔立ちを、苑絵は記憶していた。うつむいていても、実際にその姿を見るのは初めてでも、苑絵の記憶は間違わなかった。

（ローズさん……）

エレベーターホールのそばの壁に飾られた自画像の、あの少女だと思った。絶版になった画家の伝記の本にあった一葉《いちよう》の写真の、美しくも無気力で寂しげな成長後の彼女の、その面影《おもかげ》を宿す少女だった。

現実の世界では、そこにいるはずのない少女が、いま、苑絵の目の前にいた。

一目見て、あれはただ者ではない、妖《あや》しい、この世ならぬ存在だと想像が出来ても——日の光の下には現れ得ない存在なのだと気付いても。恐怖より強く、可哀想だと思ったのは、おそらくは苑絵がその少女の名前を知っていたからであり、何よりも泣いているその少女が、小さな小さな、か弱くはかなげな姿をしていたからだろうと、苑絵は思った。

その子は、苦しんでいた。ひとりぼっちで、夜明け前の部屋の中で、苦しんでいた。数え切れないほどのひとびとの生が否定され、暴力的に殺されていったその日々の中で暮らし、不潔な空間で飢《う》えて餓《かつ》えて、家族は皆殺されて、自分だけ生き延び、助け出されて。

生き延びたことは嬉しくてもきっと——人間というものが、他の人間の生を打ち壊すように否定することが出来るのだと、自分や自分の愛する家族たちが、ひととして扱われなくなることもあるのだと、人間というものはそういう生き物なのだと、自分はそういう世界で、これからひとりで生きていかなければいけないのだと、そのことに絶望して泣いているのだと、苑絵にはわかった。

(だって、わたしがあの子と同じ立場なら、きっとそう思うから。もう生きていたくないと思ってしまうだろうから)

世界は残酷で、人間は酷薄《こくはく》で、いつ、おまえには生きている価値がないと、突きつけてくるかわからない。それをこの子は知ってしまい、けれど生き延びたからには、生きていかなくてはいけないと、死んでいった家族や知人、同胞たちのためにそう思い——けれど、暗い部屋で立ち上がれずにいるのだろう。

怖いから。まだほんの子どもだから。

(夜がずっと続けば良いって、思ってるのよね。夜が明けなければ、この部屋を出ないで済むから。ここにいれば、世界や人間と向かい合わなくて済む。誰も自分を傷つけないから)

そしてこの少女は、やがて勇気を振り絞って立ち上がり、この夜の部屋から旅立ったけれど、結局は力尽きて世界からいなくなってしまうのだ。それを苑絵は知っている。

迷子の子どもを抱き上げたいと思うように、苑絵はその子を慰《なぐさ》めたい、涙を拭《ぬぐ》ってあげたい、とそれだけを強く思った。

なぜその子が今ここにいるのか、それを不思議だとは思わなかった。

だって苑絵は、その子に会いたかったのだから。それが苑絵の願いだったのだから。

苑絵は迷わずに、その部屋の中へ足を踏み入れた。夜明け前の、いちばん暗い時間の空気が満ちている、その子のいる時間へ。

そして、身をかがめ、その少女の氷のように冷えた体を、強く抱きしめた。

驚いたように目を見開いたその子に、何をいえばいいのか、言葉は何も思いつかなかった。ドイツで暮らしていたらしいこの子に、心を込めて語りかけるほどには、苑絵はその国の言葉を知らなかった。

そもそも、かの国の言葉に堪能《たんのう》だったとしても、遠い時代に強制収容所を生き延びた少女にかける言葉など、苑絵には思いつかなかった。どんな言葉を選び、どう語りかければ、この傷ついた少女の心に届き、わずかでも傷を癒《い》やすことが出来るというのだろう。

だから苑絵は、ただ、床にうずくまり、その子のからだを抱きしめた。世界と、広がる闇からかばうように。冷え切った体に、自らの体温を分け与え、あたためるように。

少女は強《こわ》ばったからだのまま、黙ってそうされていたけれど、やがて、ひとつ大きなため息を打つと、静かに涙をこぼし、泣きじゃくった。骨張った腕と手で、苑絵にすがるようにして、熱い涙をこぼした。

月原一整《つきはらいっせい》は、その朝、目が覚めた瞬間に、嫌な予感を覚えた。

朝といってもまだ夜明け前、辺りは静かで、夜の続きの時間が静かに流れていた。

胸元によくわからないものがわだかまっていた。背筋におかしな寒気も感じる。

枕元でうたた寝をしていた猫のアリスが、何を思うやら、神妙な顔をして、一声鳴いた。

元々一整は、桜風堂書店に住むひとびとの中で、誰よりも早く目覚め、身繕《みづくろ》いや朝の仕事のあれこれを済ませる方だけれど、その日の目覚めはいつもよりもなお早かった。

今日は店が忙しくなるはずだから、睡眠不足だと身が持たない。夕べ寝た時間が遅かったたし、もう少しだけ長く寝た方が、と目を閉じようとしたけれど、どうにも目がさえて眠れない。

というよりも、のんびり寝ている気持ちになれなかった。背筋の寒さと嫌な予感が去らない。

そうして、なぜだか苑絵のことが、その安否《あんぴ》が気になるのだ。

(――拝み屋のおばあさんのお守りのせいかな)

どうもやはり、怪奇小説か映画の導入部を連想してしまう。きっとそのせいだと思う。

「馬鹿馬鹿しい、いまは現実なのに。俺たちは、物語の中で生きてるわけじゃない」

自分に言いきかせるように、言葉にした。

現実世界では、そんなオカルト風味の展開があるわけがない、と思う。思おうとした。

「――ああもう、だめだ」

一整は髪をかき上げ、布団の上に体を起こした。「もういい。せっかく目が覚めたんだ。このまま起きて、早めにあれもこれも済ませてしまおう」

布団をたたみ、シャワーを浴びて着替え、店の掃除も済ませた頃、眠そうな顔の透《とおる》が起きてきた。

「おはようございます。月原さん、早いですね……」

「おはよう、透くん」

母屋の台所でコーヒーを淹《い》れながら、一整が答えると、透はふと楽しげに笑って、

「昨日も遅くまで起きてたのに、ばっちり目が覚めてるとは、恋の力って奴でしょうか」

呟《つぶや》いてくすくす笑うのを、一整はため息をついて、その肩を叩き、

「はい、コーヒー、みんなの分。ぼくは朝食を菓子パンで済ませたから、ぼくの分はもういいからね。ちょっと出かけてくる」

手早く、エプロンをはずした。

「どこへ？」

「ちょっと散歩に」

「朝のデートかと思った。束の間の別れを惜しんで、とか」

振り返らずに外に出ると、背中で透の楽しそうに笑う声が響いた。


「デートとか、そういうのじゃないからな。開店までまだずいぶん時間があるから、ひとりでふらっと散歩に行くだけだよ」

暇つぶしだよ、そう、ただの暇つぶし。

口の中で、そう呟く。

（そもそもデートをするような間柄でもないし。卯佐美《うさみ》さんはきっと、俺のことを、かつての同僚か、よくて友人くらいにしか思ってないと思うぞ）

一整の方は正直そうではないとしても、あのやたらに善人で誰にでも優しいお嬢様の苑絵が、自分ごときを好いているとはとても思えなかった。透や店のみんなは、からかうように、両思いだとささやくけれど、ありえないと思っている。そんな風に考えるだけで、罰《ばち》が当たりそうだ。

口の端に苦笑が浮かんだ。

「卯佐美さんは、とても優しいし、桜風堂書店の窮状《きゅうじょう》を見るに見かねて手伝いに来てくれていて、そのうちちょっと店の仲間みたいな気持ちになってくれてるとか、そんな感じじゃないのかな——と、思うんだよ、俺は」

早朝の桜野町には、心地よい風が吹き渡る。

一整は少しだけ笑みを浮かべたまま、丘の上の観光ホテルを目指す。どんな関係にせよ、苑絵がこんな風にたまに会いに来てくれることは嬉しかった。今日これからの別れは寂しいけれど、きっとまた桜野町に戻ってきてくれると思うと、彼女のためにも店をきちんと維持しなくては、と思う。桜風堂書店は、たぶん彼女にとっても、大切な場所になっている、それが一整にはわかっていて、嬉しかった。

灯台が海を照らすように、あの店が苑絵や書店を愛するひとびとの道標《みちしるべ》になり、ここに戻ってくるための光としてこの山里に灯り続けるなら、どれほど幸せなことだろう。だから、一整は灯りを灯し続けようと思うのだ。

もう晩秋なので、澄んだ空気は寒いほどに冷えていて、気持ちいいからと風に吹かれていると、ふるっと身が震えた。

開店前にするべきことは全て済ませてしまった。なのに、依然悪い予感は去らず、ずっと苑絵のことがひっかかり、気がかりなまま、脳裏《のうり》から去らないので、一整はもうこの際、朝の散歩を兼ねて、ホテルのそばまで行ってみようかと思ったのだった。

彼女と会おうと思ったわけではない。チェックアウトの日は、特に女性は忙しいものだろうし、ホテルの朝をゆっくり過ごしてほしいから、おはよう、などといって訪ねていく気はなかった。

ただ、朝の散歩のついでのような顔をして、ホテルのレストランの焼きたてのパンでも買って、そのさらについでに、少しだけ、ロビーの辺りを訪ねてみるのもいいかな、と思っていた。万が一、苑絵と顔を合わせることになるにしても、パンを買いに来た、といえばごまかしもきくだろう。

ほんとうは、顔馴染みのホテルマンたちに、今朝の苑絵の様子を聞きたい思いがなくもないけれど、気がかりなその理由をどう説明すれば良いのか、まるで思いつかなかった。

ちゃんとしたホテルに客として泊まっている常連客の安否が気になるなんて、そんなこととてもいえたものではない。気がかりなその理由が、およそ根拠もないといっていい、漠《ばく》としたオカルトじみた不安なのだし。

（まあ、卯佐美さんは、そのうち店に来てくれるだろうし、そうしたら安心できる

だろうから)

桜風堂書店の開店時刻は九時。今日苑絵は、八時にはホテルを引き払い、店に来るといっていた。——一階、フロントがある階のレストランでパンを買いながら、腕時計を見ると、いまはもう七時だ。

苑絵と顔を合わせるのも、何だかばつが悪い気がして、一整はホテルを出ようかと考えた。

ちょうどフロントの前を、会釈《えしゃく》しながら横切ったとき、わずかに緊張感のあるやりとりを、フロントの青年がしているのに気付いた。電話を手に、誰かと会話を交わしている。固い響きを帯びた、その言葉の中に、「卯佐美様が」という言葉が聞こえた。

「——卯佐美さんが、どうかしましたか?」

嫌な予感がして、のどが乾く。

「あ、桜風堂の——」

青年は一整とは顔馴染みだ。よく桜風堂書店を訪れてくれるし、長くここの売店に本をいれさせてもらってもいるので、知らない仲ではない。このホテルと桜風堂は、その昔、同じ頃にこの町で開業した歴史もあるので、そもそも付き合いが長く、深くもあった。そしてこの青年は、苑絵と桜風堂の関係を知ってもいる。

フロントの青年は、受話器を置いて、何事か考え込むような表情で、一整にいった。

「卯佐美様が起きていらっしゃらないと、朝食を届けに行ったレストランの者から連絡がございまして――」

「まだ眠っているということでしょうか？」

おかしい、と一整は思った。八時に店に来るつもりで、その前にチェックアウトするのなら、さすがに起きていないといけないのではないだろうか。そもそも苑絵は時間をきちんと守るタイプだと思える。待ち合わせをすれば、誰よりも早くその場所にいるような人間だ。

「卯佐美様は、今朝は六時半に朝食をご予約なさっていたのですが、レストランの者がいうには、お部屋に届けに行っても、いつものように扉を開けてくださらない。お休みなのかとワゴンを廊下に置いて、他の仕事をしたあとに戻ってきても、ワゴンはそのままになっていた、と。ちょうどそこに、前の夜に宅配便の伝票を頼まれていたお部屋係が通りかかって、部屋のベルを鳴らしたところ、やはり部屋の中から何の反応もなかった、と。

寝ていらっしゃるのなら良いのですが、もしかしてお部屋の中で具合が悪くなられていたら、と、彼らは心配してフロントに電話を」

青年は苑絵の部屋に電話をかけた。しかし受話器を取る気配はないようだった。

「念のために、お部屋にうかがってみますね」

と、青年は一整に頭を下げて、エレベーターで三階へと上がっていった。

一整は、悪い予感は、このことだったのか、と思い当たったような気がした。そして、苑絵がただ眠り込んでいるだけであるといいと、それだけを願った。みぞおちの辺りが傷《いた》んだ。子どもの頃、病弱な姉がいたし、幼い頃に母も亡くしているので、病気というものの恐ろしさを一整は身に染みて知っていた。

そうたたないうちに、フロントの青年は、エレベーターで戻ってきた。早足で、一整の元へ歩み寄り、低い声でいった。

「万一を考え、失礼して、お部屋の扉を開けてみたのですが――卯佐美様はどこにもいらっしゃいませんでした」

「どこにも？　それは……ホテルを出て、どこかに出かけたということでしょうか？」

自分のように朝の散歩に出かけたのだろうか、と一整は考えた。桜野町と別れることを寂しがっていたようなので、町との別れを惜しむようにふらりと朝の町を歩く、というのは、苑絵らしいような気もした。

それでついうっかり、時を忘れてしまったとか。いま急いでホテルに戻ってこようとしているところだとか。

情景が目に浮かぶような気がして、一整がくすりと笑うと、静かな声で青年はいった。

「卯佐美様は、今朝はこのホテルから外へは出ていらっしゃいません。少なくとも、階下へは降りていらっしゃっていないと断言できます。ここフロントに早朝からわたしはずっとおりますが、卯佐美様のお姿をお見かけしていないからでございます。このホテルから外に出るには、正面玄関か、レストランの奥にある扉を出入りするしかありませんが、そのどちらに行かれるにせよ、ここフロントにいるわたしが気付かないはずはないのです。フロントはこのフロアの全てを見渡せるような位置にございますので」

そして言い添えた。自分は昨夜夜勤だったけれど、夜の間も、誰も外へは出ていらっしゃいません、と。

「――ということは」

一整は言葉を呑んだ。苑絵はこのホテルのどこかにいるということなのか。なのになぜか、朝食をとらず、チェックアウトの準備も――桜風堂に来る準備もしないで、どこかに身を隠しているということなのだろうか。

しかし、この美しくとも小さなホテルのいったいどこに、苑絵は消えたというのだろう。

「他のお客様のお部屋を訪ねているとか……そういうことはあるでしょうか？」

内気な割にひとに好かれる苑絵のこと、ホテルで知り合った客に部屋に招かれて、つい話し込み、帰りそびれている、などということはあるかもしれない。

「いえ、今日いらっしゃるお客様はみなさま、お部屋でのご朝食をお望みで、レストランの者はすべてのお部屋にうかがっておりますので、お部屋に卯佐美様がいらっしゃれば気付いているはずです」

お部屋係も朝の掃除に取りかかる時間で、館内を回っている。やはり苑絵がどこかにいれば気付くはずだと言い添えた。


フロントの青年に頼み込んで、一整は三階の苑絵の部屋を訪ねた。部屋の中には入れてもらえなかったけれど、ベッドはまるでいままでそこに寝ていたというようだったという。荷物もそのまま、窓辺に置かれたテーブルには飲み物を飲んだ後のカップが置かれていて、苑絵だけが忽然《こつぜん》と姿を消したような、部屋はそんな様子なのだと聞いた。

一整は途方に暮れた。

一方で、何だか急に、推理小説の中にでも迷いこんだようだと冷静に考え、そんな自分が情けないような、可笑《おか》しいような気がした。

心臓が早く鼓動《こどう》を打ち続けていた。

ひとひとりが忽然と消えるなんてことが、あるとは思えない。きっとどこかに苑絵は気まぐれに身を隠していて、すぐに戻ってくるのだと思おうとした。

（だけど——）

何か思いも寄らないような出来事があって、苑絵がこれきり一整のもとや桜風堂書店に戻ることがなく、これが永遠の別れになってしまったらどうしよう、と一整は思った。

大切な存在との別れを何度も経験しているからこそ、足下が揺らぐほど恐ろしかった。

そのときだった。すう、と目の前を、白い鳥のような、紙飛行機のようなものが、閃《ひらめ》くように飛んだ。光で出来たようなそれは、苑絵の部屋の真向かいの部屋の、分厚い扉の下へと、滑り込んだ。

どこから現れ、宙を舞ったものか、わからなかった。

わずかに廊下側に残ったそれを、一整は身をかがめて拾い上げた。

拝み屋のおばあさんに預けられ、苑絵に渡した、あの、ひとの形をした、白い和紙のお守りだった。


〈つづく〉

さよなら校長先生

最終回　深呼吸（後編）

滝羽麻子
Takiwa Asako

忠司《ただし》はその後も、周りの子に頼まれれば勉強を教えた。ただし、同じ過《あやま》ちを繰り返さないように気をひきしめた。多少のみこみが遅くても、いらだったり急かしたりせず、正解にたどり着くまでねばり強くつきあった。罪滅ぼしになるとは思わなかったけれど、なにもしないよりはましだった。

小学校を卒業すると同時に、塾もやめた。中学も高校も、地元の公立に通った。高二の春に進路希望の調査が行われた。まずまずの進学校で、大学受験を視野に入れ、三年のクラスは文系と理系で分けられることになっていた。

配られた調査票を手に、同級生たちはひとしきりざわついた。

「なにになりたいかって言われても、困るよな」

「将来の目標なんんか、ある？　全然思いつかないんだけど」

ごく一部のしっかり者を除いて、大半はそんな調子だった。

忠司もまた、なりたいものもやりたいことも思いつかなかった。とりあえず大学には行っておこうか、という程度のゆるい方針しか立っていなかった。

文理でいうと、文系だろう。あんなに得意だった算数は、数学と名前が変わってからというもの、じわじわと手に負えなくなっていった。テストではぎりぎり平均点をとれるくらいで、どちらかといえば国語や社会の成績のほうが安定している。となると、志望学部の選択肢は文学部か社会学部、法学部あたりだろうか。どれも絶対にいやだというわけではないけれど、これといった決め手にも欠けていた。

「そういや、小学校の文集に書かなかった？　将来の夢」

隣の席で、女子たちがかしましく喋っていた。

「あった、あった。確か、ケーキ屋さんって書いた」

「あたしはアイドルだったな。われながら無謀」

「かわいいじゃん。てか、あの頃は夢があったよね」

小学校の卒業文集になんと書いたのか、忠司はまるで覚えていなかった。夢なんてものはなかったはずだから、どうせ適当に書いたのだろう。

どういうわけか、脈絡もなく、薄れゆく一方だった学習塾の記憶がふっと脳裏によみがえった。

カワイの顔も、おぼろげにかすんでいた。他の塾生たちは言うまでもない。ただ、彼らがたびたび口にしたひとことは、頭に残っていた。わかった、と声を上げたときに、瞳の奥にひらめく光も。

どうして教師になったのか、という質問は、新任だった頃から幾度となく受けてきた。頻度はだいぶ減ったものの、今でも時折たずねられる。時と場合によって

「子どもが好きなので」とか「なんとなく」とか答えている。あたりさわりのない返事をしながら、忠司がいつも思い浮かべるのは、あの光だ。

校長室は、職員室のすぐ隣に位置している。忠司がドアをノックすると、「どうぞ」と張りのある声が返った。

平日の休み時間には、このドアは開いていることが多い。校長が在室しているときは、来客中や会議中を除いてドアが開け放たれ、子どもたちが自由に出入りできる。十五年前に忠司が教育実習で母校に戻ってきた折、自分が在校生だった時代とは様変わりしているところがいくつもあって戸惑ったものだが、開けっ放しになった校長室のドアもそのひとつだった。敬愛する高村《たかむら》の流儀を、大沢《おおさわ》も踏襲《とうしゅう》しているのだろう。

ドアを開け、足を踏み入れた。奥のデスクに大沢が座っている。

「ああ、小田《おだ》先生。おつかれさまです」

「今、お時間は大丈夫ですか」

手に持っていた、明日の段取りをまとめた資料を顔の横にかざしてみせると、ええ、と大沢はうなずいた。

「ちょうどよかったです。ついさっき帰ってきたところで」

昼前に忠司が出勤してきたとき、大沢は入れ違いにあわただしく出かけていこうとしていた。昨日の昼休みに、四年生の男子児童がつかみあいの喧嘩《けんか》をしたというのは忠司も聞いていた。担任の教師とともに、大沢もこれから当事者ふたりの自宅を訪問すると言っていた。

「どうでしたか」

「まあ、ひとまず大丈夫でしょう」

大沢が苦笑いした。

「どっちのご両親もわりと冷静だったから、助かりました。子どもたちに怪我もないし。どっちかっていうと、先生のほうがまいっちゃってて」

無理もないだろう。問題の子どもたちのクラス担任は、まだ教師歴二年目の若い女性教師だ。

前回までのあらすじ

第三小学校の教師・忠司は、かつて校長を務めた高村正子を偲ぶ会の運営に奔走していた。周囲から高村の話を聞くうちに、忠司は小学生の頃に通っていた学習塾での一件を思い出す。塾の友達に勉強について質問され、教えるのが楽しかったが、勉強が苦手な「カワイ」に試験中、自分の答案を見せてしまったことを……。

「機会があったら、小田先生もさりげなくフォローしてあげてもらえませんか」

「わかりました」

「ごめんなさいね、ばたばたしちゃって。会の準備は順調ですか?」

大沢が話を戻した。

「会場の設営は、ほぼ完了しました。これに明日の流れをまとめてあるので、最終確認をしていただけませんか」

忠司は資料を差し出した。

「じゃあ、一緒に読みましょうか。どうぞ、座って」

デスクの手前に、年季の入った応接セットが置いてある。ソファに向かいあって腰を下ろしたのとほぼ同時に、着信音が鳴った。

大沢が顔をしかめて、ジャケットのポケットからスマホを出した。液晶画面に目を落とし、つかのま思案した末に「ちょっと失礼」と手刀を切って電話を耳にあてる。

いったん席をはずしたほうがいいかと忠司は腰を浮かせかけたものの、大沢に手ぶりで制されて座り直した。

「はい、大沢でございます。お世話になっております」

面倒そうな表情とはうらはらに、しごく愛想《あいそ》のいい声で応対しつつ、大沢は部屋から出ていった。

ひとり残された忠司は、手持ぶさたに校長室の中を見回してみた。

スチール製の書棚には教育関連の専門書がぎっしりと詰めこまれ、デスクの傍らには細かい刺繡《ししゅう》のほどこされた校旗がかかげてある。壁にずらりと並んだ写真の額縁からは、歴代の校長たちがこちらを見下ろしている。高村校長はすぐに見つかった。黒や紺やグレイのジャケットにネクタイをしめた男性陣に囲まれて、明るい藤色の上着が目をひく。紅一点ならぬ、紫一点だ。

それにしても、この部屋の様子は昔からみごとに変わらない。せいぜい、本棚に並んだ蔵書や写真の顔ぶれに多少の変化があるくらいだろう。

昔といっても、忠司が小学生だった頃にここがどんな様子だったのかは知らない。校長先生といえば、朝礼や行事の開会式なんかで挨拶をするおじさん、というあやふやな印象が残っているだけだ。校長室に足を踏み入れた覚えもない。

忠司が思い出しているのは、十五年前のこの部屋である。まさにこのソファで、高村校長と向かいあった。

縮こまっている忠司に、高村は穏やかな声でうながした。詳しい話を聞かせてもらえますか、と。

教育実習で、忠司は二年生のクラスに配属されていた。

二年一組の担任は、五十がらみのベテラン男性教師が受け持っていた。穏和《おんわ》で面倒見がよく、その手腕もあってか、低学年にしてはまとまりのある和やかな雰囲気のクラスだった。最初のうちは緊張していた忠司も、ひとなつこい子どもたちから熱烈に歓迎されて、数日でうちとけることができた。

二年生の二学期における目玉単元といえば、なんといっても九九である。算数の授業は、音楽の授業に負けず劣らずにぎにぎしかった。教師が歌うように唱えると、クラスの皆がはりきって後に続く。子どもたちの耳になじむようにと配慮してか、担任は休み時間にいきなり歌い出すこともあった。その場にいる全員で大合唱がはじまり、ほほえましかった。

四週間の実習期間も半ばを過ぎた頃、忠司は昼休みに五、六人の女子が教室の一隅で輪になっているのを見かけた。

「なにしてるの?」

なんの気なしにたずねてみると、子どもたちは我先に答えた。

「特訓してるの」

「リンちゃんが九九、苦手だから」

「へえ、そうか。先生もよせてくれる?」

忠司も加わった。それとなく、かつ注意深く、彼らの様子を観察する。万が一いじめの兆候があれば、すみやかに対処しなければならない。

「じゃあもう一回、五の段からね」

リンちゃんの隣にいる、めがねをかけた利発そうな子が音頭をとった。彼女が仕切り役らしい。

「ゴイチガゴ」

「ゴニジュウ」

全員がふしをつけて唱え出した。

ゆっくりした口調は、リンちゃんへの配慮なのだろう。途中でついていけなくなって口ごもると、いったん中断して、励ますようなまなざしで見守っている。再開できたら、そのまま続ける。リンちゃんが思案した末に「なんだっけ？」と音を上げれば、他の子が教える。

大丈夫そうだな、と忠司はひとまず胸をなでおろした。誰もが真剣そのものの表情で、友達をばかにしたりからかったりしているふうではない。ひとえにリンちゃんを助けたいという一心なのだろう。正義感というのか、責任感というのか、友達が困っていれば手をさしのべようという意識が芽生えてくる年頃である。純粋な分、頼まれてもいないのに親切の押し売りをして迷惑がられることもあるのが玉に瑕《きず》だが、今回に限ってはそれもなさそうだ。

「できた！」

無事に五の段をしあげられたリンちゃんは、はにかんだ笑顔を浮かべ、友達とハイタッチして喜びを分かちあっていた。

この子のことは、それ以前から少しばかり気になっていた。

忠司は大学で教育心理学のゼミに所属していた。教授の専門領域は発達障害で、その指導のもと、卒業論文のテーマとして学習障害を選んだ。学習障害とは発達障害の一種で、知能に問題はないが特定の分野を極端に苦手とするのが特徴だ。

そのひとつである算数障害について担当教官の講義で教わったときに、忠司が想起したのはカワイのことだった。他の科目は軒並み平均を上回っているのに、算数で足をひっぱられてしまっていた。数字を見るだけで気分が悪くなるとぼやいてもいた。あれは算数障害が原因だったのではないだろうか。

卒論の準備で関連文献を読みあさっていたせいか、実習の現場でも、学習障害ではないかと疑われるような言動がどうしても目にとまった。

リンちゃんは、担任教師や忠司の呼びかけに対して反応が遅れがちだった。生来おっとりした性格のようだが、それにしても少々目立つ。注意力が足りないというのでもなく、授業中によそ見をしたり、気を散らしたりしているそぶりもない。しっかり黒板を見て、まじめにノートをとっている。宿題も毎日ちゃんとやってくる。さりげなく注目しているうちに、どうやら口頭で指示されるのが苦手らしいと気がついた。相手が同級生でも同じことで、会話中に「えっ？」「なに？」と頻繁に問い返している。周りの友達も慣れたもので、「もう、また聞いてなかったの？」と軽口をたたきつつも、迷惑がるふうでもなく前言を繰り返してやっている。

ひょっとして耳が悪いのかと担任教師に質問してみたら、「ああ、小田くんも気になった？」と言われた。

「聴力検査の結果では、異常なかったらしいんだけどね」

母親との面談で、その話になったという。就学前からそういう傾向があり、念のため病院にも連れていったらしい。要はぼんやりして聞き逃してるだけみたいです、先生も遠慮《えんりよ》なく叱《しか》ってやって下さい、と苦笑まじりに言われたそうだ。

「あの、もしかしたら、聴力とは別の問題があるかもしれません」

頭に浮かんでいた仮説を、忠司は遠慮がちに言ってみた。

「問題って？」

実習に入る少し前に、ちょうど似たような事例が取りあげられている文献を読んだばかりだった。

専門用語では、聴覚情報処理障害と呼ばれる。聴力には問題がないにもかかわらず、聞こえてきた言葉を理解しづらい。具体的な特徴としては、聞き返しや聞き間違いが多いこと、特に雑音の多い状況下では話を聞きとりにくいこと、聴覚による記憶力が弱いこと、などが挙げられる。発達障害の範疇《はんちゅう》には含まれないものの、併発する場合も多く、双方の関連性についても研究が進められているらしい。

「僕は医者じゃないので、正確な診断はできません。ただ、ふだんの様子からして、そういう可能性もあるんじゃないかなという気がしまして」

おそるおそる話しながら、忠司はひやひやしていた。ゼミの先輩から、実習中の心得として、現役教員の指導法をくれぐれも尊重しろと忠告されていたのだ。

学校教育における常識は、時代によって驚くほど変わる。

たとえば発達障害にしても、忠司が子どもだった頃には単なる「変わった子」や「扱いにくい子」として片づけられていた。集団生活になじめず、疎外されたり放置されたりもしたようだが、今やすっかり世間一般にも認知されて、支援体制もととのってきた。昔は珍しくもなかった体罰も、今ではご法度だ。いかなる事情があろうとも、子どもに手を上げたらたちまち大問題になる。おそらく職も失う。

とはいえ、現場の教師の全員が全員、最新の知識を持ちあわせているとは限らない。近年の風潮をふまえつつ、あえて我流にこだわることもある。教師歴が長ければ長いほど、これまで積み重ねてきた経験や練りあげた手法に、自信と誇りを持っているものだ。大学で習った最新鋭の教育法なんかをはりきって開陳しようものなら、頭でっかちな若造がわかったような口を利くな、と不興《ふきょう》を買いかねない。

だが、担任教師はいやな顔ひとつせず、興味深げに忠司の意見に耳を傾けてくれた。

聴覚情報処理障害という用語そのものは初耳だったらしいけれど、これまで教えてきた児童の中にも、言われてみればそういう特性があったのかもしれないと思いあたる子がいるという。教えてくれてありがとう、と礼まで言われた。その後、ふたりで相談して、九九の練習法に改善を加えることになった。従来の、何度も唱えて耳から覚える、言うなれば「聴覚式」のほかに、表やカードを目で見ながら頭に入れていく「視覚式」も併用してみたのだ。試しにクラス全員にやらせたら、件のリンちゃん以外にも、この新方式のほうが覚えやすいと気に入ってくれた子が何人かいた。忠司は喜んで彼らの相手をつとめた。

実習も残すところあと数日となった週末、忠司が商店街を歩いていたら、知った顔にばったり出くわした。

「小田先生」

道の先から駆け寄ってきたのは、リンちゃんだった。その後ろから小走りについてくるのは母親だろう。目もとがそっくりだ。

県外の大学に進んで寮暮らしをしていた忠司は、実習中には実家に戻って寝起きしていた。三小の校区内なので、近所で児童と遭遇することは珍しくなかった。

「はじめまして」

忠司が挨拶すると、母親は深々と頭を下げた。

「小田先生ですね。娘から聞いています。お世話になっているようで」

家で自分のことを話してもらえているというのは、素直にうれしかった。ただ、

「いろいろお手間をおかけしてしまって、申し訳ありません」

と恐縮したように詫びられて、戸惑った。よくよく聞けば、娘が通常の授業についていけず、個別に指導を受けていると勘違いしているようだった。

「いいえ、とんでもない」

訂正しようとする忠司をさえぎるように、母親はたたみかけた。

「この子はほんとにひとの話を聞かなくって。悪気はないみたいなんですけど、とにかくマイペースで」

嘆息《たんそく》して、娘を一瞥《いちべつ》する。リンちゃんは傍らの洋菓子店の軒先で、ガラス窓に鼻がくっつきそうなほど顔を近づけ、店内のケーキにみとれている。自分が話題に上っているというのに、おとなたちの会話を気にするそぶりはない。

「先生やお友達にも、ご迷惑をおかけしてるでしょう。ごめんなさいね」

「いえいえ、そんな」

そこでおとなしくひきあげればよかったのだ。担任教師に認められ、子どもたちとの交流から手ごたえも感じて、調子に乗っていたのかもしれない。

「一度、専門家に相談してみるといいかもしれませんね」

その場の思いつきではなく、前から頭にあったことだった。

「相談？」

母親はきょとんとして言った。

「はい。適切な支援を受けられれば、お子さんの負担も軽くなるかと」

問題は、相談先だった。都会ならともかく、この街の近辺で適切な知見と経験を持ちあわせた医師なりカウンセラーなりを見つけられるだろうか。ゼミの教授は顔が広いので、心あたりがないか問いあわせてみてもいいかもしれない。

まだ検討の余地があるところも含め、忠司は率直に、しかし心をこめて説明した。この種のことは、家庭の理解と協力がなにより肝要だ。

ところが、母親はあからさまに顔を曇らせた。

「うちの子がおかしい、っておっしゃるんですか？」

しまった、と思ったときにはもう手遅れだった。

「いえ、そういう意味では」

「学校でいろいろフォローして下さっているのはありがたいですし、ご面倒をかけて申し訳ないとも思ってます。でも、だからって、障害とか病気とか……そんな言いかたしなくても……」

それこそ、障害や病気に対する偏見に満ちた「言いかた」だ。つい言い返しそうになって、ぐっとのみこんだ。

「すみません、あの、語弊《ごへい》があったかもしれませんが」

なるべく下手に出て弁明しようとしたのだが、むだだった。母親は忠司をきっとにらみつけ、言い放った。

「この子は普通の子です」

帰るよ、と娘に声をかけ、両肩に手を添えて引き寄せる。

「ママ？　どうしたの？」

リンちゃんは不安げに首をかしげていた。おとなたちの話の内容は例によって聞きとれていなかったようだけれど、不穏な気配は感じとったのだろう。

「ううん、なんでもない。なんにも心配することないわ」

最前の激しい口ぶりから一変して、不気味なほど穏やかな声だった。

視線はわが子に注ぎながらも、その言葉は明らかに忠司に向けられていた。挨拶もせずに、母親は娘の手をひっぱって足早に去っていった。

週明け早々に、担任の教師に一部始終を報告した。

実習生の分際で、出過ぎたまねをしてしまった。叱責《しっせき》を覚悟していたが、担任は別段あわてるふうでもなく、黙々と聞いていた。さすがに熟練の教員だけあって、肝が据わっている。

「もうちょっと慎重に進めるべきでしたね。デリケートな話題だし」

たしなめられたものの、強く責められたわけでもなかった。忠司がしょげ返っているので同情してくれたのかもしれない。

「すみません」

「まあ、これもひとつの経験だから」

逆に慰《なぐさ》められた。

「わたしも何度もありますよ、保護者の機嫌をそこねたことは」

リンちゃんの様子も気がかりだったが、見たところふだんと変わりなかった。母親の怒りはおさまったのだろうか。それとも、相変わらずのマイペースぶりを発揮して、気にもとめていないのか。あの母親の剣幕《けんまく》からして、学校に苦情の連絡が入るのではないかとびくびくしていたけれど、それも杞憂《きゆう》に終わった。

ひとまず最悪の事態は免《まぬか》れたかと思っていたら、翌日の放課後に校長室まで呼び出されて、忠司は再び暗い気持ちになった。

あらためて、事の次第を説明した。高村校長もまた、眉ひとつ動かさずに話を聞いていた。ただし担任教師とは違って、途中でいくつか質問が差し挟まれた。なぜそんなふうに思ったのか、どうしてそう言ったのか。問われるままに答えていくうち、いつのまにやら卒論のことやカワイのことにまで話は広がっていた。

よく考えたら、高村とは初日に挨拶したきりで、まともに会話するのはこれがはじめてだった。

「事情はわかりました」

高村はおもむろに言った。

「折を見て、わたしもそのお母さんと話をしてみます」

「ありがとうございます。よろしくお願いします」

さしあたり母親がどなりこんでこなかったのは助かったが、このまま無視されてしまっても、それはそれで困るのだった。リンちゃんの聴覚にまつわる懸念《けねん》が払拭《ふっしょく》されたわけではない。

「学校になにも言ってこないってことは、お母さんのほうでも、その後思うところがあったのかもしれません」

そうであれば、ありがたい。親がその気になってくれない限り、学校としても過度な干渉は難しい。

「どっちにしても、親御さんのケアも必要でしょうね」

「はい」

学校に対する不信感を持たれてしまっていないことを祈りたい。忠司が責任を感じてうなだれていると、

「きちんと問題提起をしたのは、間違ってなかったと思いますよ」

と、高村はとりなしてくれた。

「教師にとって一番大事なのは、子どもを支えることですからね。わたしたちの仕事はみんな、結局は子どものためですよ」

かんで含めるようにゆっくりと語りかけられて、なんだか小学生に戻ったみたいな気分になってきた。

「保護者のサポートをするのも、その一環です。親に余裕がないと、子どもにもしわ寄せがきますから。でも、それはあくまで子どもを守るための手段であって、目的じゃない。親の顔色をうかがって、遠慮しすぎることはありません」

ことさら励《はげ》ますふうでもない、淡々とした口ぶりだったが、忠司の心はわずかながら軽くなった。

「もちろん、話の持っていきかたには、細心の配慮を払わないといけませんけど」

高村はつけ加えると、もう一度忠司をしげしげと見た。

「あとは、もう少しゆったり構えてみてもいいんじゃないかしらね。そんなに固くならないで」

もっと肩の力を抜いたほうがいいという助言は、二年一組の教師からも何度か受けていた。そんなことを言われたって、もともと気が小さいのだからどうしようもない。ましてや、状況が状況だ。そうでなくても、威厳《いげん》たっぷりの高村と向かいあうと、おのずと背筋が伸びる。

「緊張感がなさすぎるのも考えものだけど、ずっと気を張りっぱなしじゃ疲れるでしょう。先生がぴりぴりしてると、子どもも不安になりますよ」

まったくもって異論はない。忠司だって、できるものなら高村のように泰然《たいぜん》としていたい。あとは、気が小さいくせにときたま妙に勢いづいて突っ走ってしまうのも、どうにかしたい。今回のことも、カワイのことだってそうだ。

「慣れも大きいですけどね。落ち着いて、リラックスして」

「はい。気をつけます」

忠司はぼそぼそと答えた。それができれば苦労はしない。

「じゃあ、ちょっと練習してみましょうか」

「はい？」

「深呼吸です」

高村はてきぱきと言った。

「息をととのえると、気分が落ち着きます。のどじゃなくて、おなかを動かすように意識して下さい。はい、いきますよ」

授業中に子どもたちの注意をひきつけようとするときのように、ぱちんと勢いよく手を打った。

「息を思いきり吸って――」

忠司はとっさに息を吸いこんだ。向かいの高村も、おおまじめな表情で胸をふくらませている。

「では、少しずつ吐いて。細く、長く。おなかの中の空気を出しきって下さい」

もう一回吸って、また吐いて、と何度か繰り返してから、高村は忠司にたずねた。

「どうですか？」

言われてみれば、全身からむだな力が抜けていた。

これが深呼吸の効果なのだろうか。大のおとながふたりして顔を突きあわせ、まじめくさって息を吸ったり吐いたりしている姿がどうにも滑稽《こっけい》で、脱力を誘っただけのような気もしなくはないが。

「じゃあ、最後にもう一度。目もつむってみましょうか」

うながされるままに、忠司もまぶたを閉じた。めいめい無言で、かすかな息の音だけが部屋に響いた。

「小田先生」

高村が唐突に言った。

「あなたは、いい教師になると思いますよ」

忠司は思わず目を開けた。せっかくととのえた呼吸が乱れてしまった。

「そうでしょうか?」

われながら、心細げな声が出た。

「だって、困っている子どもを放っておけないんでしょう?」

高村は目をつむったまま、落ち着きはらって答えた。確信に満ちた口ぶりだった。

電話を終えた大沢と打ち合わせをすませてから、ふたりで体育館へ向かった。

「うわあ、たくさん集まりましたねえ」

机の上に並んだ品々を、大沢はうきうきと見て回った。

「やっぱり、お手紙が多いのね。ああ、連絡帳も」

教え子自身が保管していたものもあれば、保護者の手で持ちこまれたものもある。わが子の成長の記念としてとっておいたらしい。うちの子が本当にお世話になりまして、と何度も頭を下げられて、忠司のほうが恐縮してしまった。

「これは、コンパス?」

「高村先生が新任のときに受け持った方だそうです」

これも、本人が学校までじかに持ってきてくれて、忠司自身が預かった。少し立ち話もした。忠司の親と同じくらいの年回りで、孫娘も三小に通っていると言っていた。

「このブローチ、なつかしいなあ。お嬢さんが送って下さったのね」

「はい」

カナダに住んでいるという高村のひとり娘とは、何度かメールをやりとりしただけで、忠司は面識がない。いよいよ明日、はじめて対面することになる。文面はよくいえば端的でそつがなく、悪くいえば少々そっけない印象もあったが、どんな女性なのだろう。高村と似ているのだろうか。なんだかちょっと緊張してしまう。

式典で挨拶してもらえないかと依頼したのは、固辞《こじ》された。かわりに、若い頃に高村と一緒に働いていたという元後輩に、高村との思い出を話してもらうことになった。教師をやめた後も、長年にわたって友人づきあいが続いていたらしい。高村が急逝《きゅうせい》するつい前月にも会っていたそうだ。あのときはあんなに元気だったのに、と電話口で声を詰まらせていた。

陳列された品物の間を一巡すると、大沢は忠司にたずねた。

「小田先生は？　なにか出さないんですか？」

忠司の高村との思い出は、ここには陳列できない。

あの校長室でのやりとりは、記憶にくっきりと刻みこまれている。お手本つきで深呼吸のやりかたを伝授してくれた高村のしかつめらしい顔つきも、ありありと覚えている。忠司がいい教師になると請けあった、自信たっぷりの声音も。

むろん、あれを額面《がくめん》どおり真に受けるほど、忠司は楽天的ではなかった。教員の先輩として、また教育実習の受入先の責任者として、消沈《しょうちん》している実習生を元気づけようとしてくれているのだろうと思った。それでも、高村の激励は素直にありがたかった。本当に「いい教師」になれるかどうかは定かでないにしても、だいぶ気分は持ち直していた。

「ありがとうございます」

忠司が言うと、お礼はけっこう、と高村はすぐさま首を振った。

「別に、小田先生のために言っているわけじゃありませんから」

忠司は少しばかり戸惑《とまど》った。回りくどい言いようが、どこか高村らしくないように感じられたのだ。お世辞ではない、という意味だろうか。そうならそうと言ってくれればいいのに。

「さっきも話したでしょう？」

忠司の当惑を見透かしたかのように、高村は続けた。

「全部、子どものためだって。わたしは子どもたちのために、あなたには教師になってもらいたい」

感情を表に出さない高村にしては珍しく、不敵な笑みを浮かべていた。

「そうじゃなかったら、考え直してほしいってはっきり言いますよ。小田先生には申し訳ないけれど」

あのひとことで、なにかが劇的に変わったわけではない。

教師になってからも、忠司は相変わらず気が小さい。あらたまった場では胃が痛くなりがちだし、失敗するたびにくよくよと落ちこんでしまう。それこそ深呼吸をしなければならないような事態に、しょっちゅう直面している。

でも、じたばたしつつもどうにか続けてこられたということは、それなりに向いていたともいえるのだろうか。

「先生、なにやってんの？」

振り向くと、入口の扉の間から、女子がふたり顔をのぞかせていた。片方は忠司のクラスで、もうひとりは二組の子だ。

「あっ、校長先生もいる」

「明日の準備をしてるのよ」

大沢が機嫌よく応えた。高村の愛弟子として多大な影響を受けているようだけれど、喜怒哀楽がわかりやすいところだけはまるで違う。

「先週の朝礼でも話したでしょう。みんなもよかったら来てね」

「ええー？」

女子たちは顔を見あわせた。

「明日はピアノのレッスンがある」

「あたしは塾のテスト」

今どきの小学生は、おとな顔負けに忙しい。それに、彼女たちにしてみれば、高村は見知らぬ老人だ。三小での教育活動に貢献したという意味で、まったく無関係とも言いきれないかもしれないが、十歳やそこらの子どもに、会ったこともない相手を悼めといっても無理があるだろう。

なにより、「子どもたちのため」を信条としていた高村が、自分のために時間をとらせようとは望むまい。

「用事があるなら、しかたないわね。無理しないで」

大沢も存外あっさりとひきさがった。無念そうな顔つきに気がとがめたのだろうか、女子のひとりがとりなすように言った。

「でも、先生たちの偲ぶ会をやるときは、来てあげるよ」

「あたしも」

縁起でもないことを、ほがらかに言ってのける。忠司は苦笑したが、大沢は声をはずませた。

「ほんと？　ぜひお願いね」

この口約束が守られるかどうかは、かなり疑わしいだろう。若くやわらかな脳みその新陳代謝はめまぐるしい。近いうちに、ともすれば明日にはもう忘れられていても、驚くにはあたらない。

それでも、たとえば今年の五年一組の中にひとりかふたり、忠司のことを覚えていてくれる子どもがいるかもしれない。顔や名前は記憶から失われてしまったとしても、かけた言葉や教えた知識が、どこか心の片隅に残るかもしれない。

「じゃあね、先生」

「ああ、また来週な。気をつけて帰りなさい」

「はあい」

さようなら、と言い残して駆け出したふたりの背中を見送って、忠司は肩越しに壇上をあおいだ。高村校長が静かに微笑んでいる。澄んだ午後の陽ざしがこぼれる窓越しに、子どもたちの歓声が響いてくる。


〈了〉

松《しょう》籟《らい》邸《てい》の隣人

第二十三回

第二十話 八月の七夕《たなばた》

宮本昌孝
Miyamoto Masataka

「心持ち小《ちい》そうなったような気がいたしまする」

小鼻の脇のイボを指で触《さわ》りながら、北条《ほうじょう》が茂《しげる》のほうへ顔を突き出した。

東京の西新井大師《にしあらいだいし》の塩地蔵尊《しおじぞうそん》の堂前の塩をイボに塗《ぬ》ると、いずれきれいに取れてなくなるそうで、江戸時代からイボ取り地蔵の俗称で知られる。先月、茂が、天人《あまと》と広志《ひろし》と松風軒《しょうふうけん》とで西新井大師に詣《もう》でて、この塩を北条のために頂戴《ちょうだい》してきた。

以来、毎日、イボに少しずつ塗っている。

「けど、まだ鼻の穴が三つあるように見えるぞ」

「またさような憎まれ口を……」

言葉とは裏腹に、満面の笑《え》みの北条である。頼んだわけでもないのに、茂がみずから、大磯《おおいそ》へ帰る日を一日延ばしてまで、自分のためにイボ取り地蔵の塩を取りにいってくれたことが嬉《うれ》しくて堪《たま》らないのだ。

「じゃあ、行ってくる」

「行ってらっしゃいませ」

日盛《ひざか》りは過ぎたが、空が赤く灼《や》けるまでにはまだ幾分暇《いとま》のある頃合いで、夏の海辺を散歩するにはちょうどよい。

茂は、いつものように愛犬のポチを供《とも》として、松籟邸《しょうらいてい》の海側の庭の斜面を上がり、防風の松林を抜け、高台から石段を下りて、血洗川《ちあらいがわ》の岸へと出る。

このあたりから、西の二宮《にのみや》、国府津《こうづ》にかけての浜辺を総称して袖ヶ浦《そでがうら》という。東は、鴫立川《しぎたつかわ》の川口付近までを、よろぎの浜、こゆるぎ海岸、小淘綾《こゆるぎ》の浦《うら》など名称は幾つもあるが、茂はどれも気に入っている。松籟邸が袖ヶ浦と小淘綾の浦の境目《さかいめ》に建つことも、何やら特別感があって誇《ほこ》らしい。

短い丸木《まるき》橋を渡って、小淘綾の浦の砂浜に足跡をつけてゆく。

「やるか」

長さ三十センチばかりの枝を拾い上げ、ポチの目の前で振ってみせる。

子犬の頃のポチは、茂の枝投げに即座に反応して、落下地点へ向かっては、それをくわえて戻ってくることを、元気よく、飽《あ》きることなく繰り返した。が、いまは些《いささ》か老いてきたせいか、気が乗らなければ、やらない。

ポチが尻尾《しっぽ》を振り立てた。きょうはやる気のようだ。

「それっ」

茂は、枝を放《ほう》った。

ポチが砂を蹴立《けた》てて走り出す。

松籟邸の建つ西小磯《にしこいそ》は、海水浴場のある照ヶ崎《てるがさき》からは離れているものの、それでも夏の浜辺は、日が落ちるまで地元の子らが駆け回るのが常だった。ところが、いまは女の子はちらほら見えるものの、男の子の姿がまったく見当たらない。

(そうか。男の子は竹飾《たけかざ》りを作ってるんだ)

きょうが八月五日であることを、茂は思い出した。

西小磯では、七夕《たなばた》は七月ではなく八月の六日、七日に行われる。疫病《えきびょう》を退散させるべくお祓《はら》いをしたのが始まりであるといい、そこから無病息災《そくさい》、五穀豊穣《ごこくほうじょう》、町内安全なども願うものとなった。江戸の元禄《げんろく》時代から伝わるそうな。

それだけに、七夕と称してはいても、織姫《おりひめ》と彦星《ひこぼし》を祀《まつ》るそれとは様相が異なる。男の子だけの子供連《こどもれん》で行う独特の祭事であり、かれらは五日の夕方から願い事や星の名を墨《すみ》で書いた短冊《たんざく》を、笹竹《ささだけ》に飾りつける。このとき、里芋《さといも》の草の露《くゆ》で磨《す》る墨が、習字の上達につながると信じられてもいる。男の子たちは、六日の昼頃から、その竹飾りで村落内をお祓いしてまわるのだ。そして、七日の朝には、たくさんの竹飾りを束《たば》ねて作った竹神輿《たけみこし》を海に流すのだが、沖合一キロぐらいまで出るので、泳ぎを必死でおぼえることになる。いわば、男児の通過儀礼的な要素も色濃い行事といってよい。

(あの娘なら怒るだろうな、女子《じょし》は参加できないなんておかしいって)

西新井大師参詣《さんけい》の前に、内藤新宿町《ないとうしんじゅくちょう》の眞崎鉛筆《まさきえんぴつ》製造所で出会った平塚明《ひらつかはる》のことも、ついでに思い出した。

ポチが、向きを変え、五色《ごしき》の小石荘《こいしそう》の防風林のほうへ走り出す。

前回までのあらすじ

吉田茂《しげる》は父・健三《けんぞう》の死により若くして吉田家の当主になる。藤沢の耕餘塾《こうよじゅく》を卒業した茂は、東京の実父・竹内綱《つな》の屋敷に住み、学生生活を送っていた。夏休みに茂は母・士子《ことこ》のいる大磯に戻り、外相・陸奥宗光《むつむねみつ》の許《もと》を訪ね、隣人で友人の天人《あまと》と陸奥宗光夫人・亮子《りょうこ》の馴《な》れ初《そ》めを聞く。明治三十年(一八九七)、陸奥が逝き、衝撃を受ける。学習院に編入して初めての夏、茂は友人の広志《ひろし》と西新井《にしあらい》大師へと向かう。途次、白い袴《はかま》姿の男達に襲われるが、ある軍人に助けられる。一方、天人も何者かに襲われていた。

林を抜けて、白い洋装のひとが現われた。ローダも一緒である。

「天人。ローダ」

茂が手を振ると、天人らも笑顔で振り返す。同じタイミングで散歩に出てきたのだ。よくあることだった。

ローダが両腕を広げたところへ、ポチが飛び込んだ。この少女と柴犬《しばいぬ》は、互いを大好きなのである。

茂は、天人のほうへ、小走りに寄った。

「きょうの茂の散歩コースは」

と天人が訊《き》く。

「鳴立川沿いに国道を横切って、白山《はくさん》神社にちょっとお参りしてから戻るつもり」

「竹神輿流しのキッズ・チームの無事を祈ろうと思いついたのですか」

キッズ・チームとは子供連をさす。西小磯の七夕祭のことは、いまや天人も少しは知っているのだ。

「敵《かな》わないや、天人には。そうだよ、いま思いついたんだ」

かつて鳴立川の川口は広く、伊勢《いせ》神宮《じんぐう》参拝の船の発着湊《みなと》があり、その海浜の丘に航海安全を祈る白山神社が鎮座《ちんざ》していた。が、台風のたびに風波で破損してしまうので、上流の二号国道北側に遷《うつ》されたのだ。祭神はイザナミノミコトである。

「わたしもそのコースで」

天人が破顔《はがん》した。

ふたりが歩きだすと、ローダもポチとじゃれ合いながらついてくる。

「天人。来年の夏、横浜へ行こうよ。改正条約の施行日《しこうび》が大変なお祭り騒ぎになるらしいんだ」

日本が諸外国と結んだ幕末以来の不平等条約は、明治三十二年七月十七日をもって改正される。自主関税権の完全回復についてはさらに十二年後まで待たねばならないが、最大の懸案《けんあん》だった治外法権《ちがいほうけん》は撤廃《てっぱい》となる。茂は先日、横浜の本宅へ戻ったさい、施行日当日は横浜を挙《あ》げて祝賀の催《もよお》しが行われる予定であると聞いたのだ。

「そういうのは、鬼が笑うのではなかったですか」

将来というのは予測し難《がた》いことを譬《たと》えて、来年のことを言えば鬼が笑う、という。

「そんなこと言うなんて、天人は日本に馴《な》れすぎだね」

「郷《ごう》に居《い》ては郷に従う、です」

「こうして一年も前に誘うのは、天人が風来坊《ふうらいぼう》だからだよ。知らないうちに、ふらっとアメリカへ行ったりするから」

「申し訳のないことです」

「松風軒さんとか志果羽《しらは》さんとか、去年の撮影会に来てくれたひとたち、みんなに声をかけるつもりなんだ。まあ、猛太郎《たけたろう》さんなんて、物見高《ものみだか》いから、声をかけなくたって行くような気もするけど」

「前向きに考えます」

そう頷《うなず》きながらこたえた天人の顔に、茂は微《かす》かな翳《かげ》りが過《よぎ》ったような気がした。

（あの夜も……）

西新井大師に詣でた帰途、天人はひとり別れて、どこかへ向かった。その夜、広尾《ひろお》の吉田邸へ戻ってきたとき、一瞬だが、いまと同じような表情をしたように、いまにして思える。ただの気のせいかもしれないが。

「よお、てえしょう」

前方から、胴満声《どうまんごえ》が聞こえてきた。

汀《みぎわ》に立って、海を眺《なが》めている洋装の一行がいて、かれらの後ろを通りながら、漁師とおぼしい男が声をかけたのだ。

一行の中から、ひとりが首《こうべ》を回して、漁師に手を振った。笑顔である。

「あ……伊藤侯爵《いとうこうしゃく》」

思わず、茂は立ち止まる。

西小磯に建てた滄浪閣《そうろうかく》に、別荘ではなく本邸として暮らしはじめた伊藤博文《ひろぶみ》は、早くも大磯の地元民から慕《した》われ、「大将《てえしょう》」と呼びかけられるのが常だった。伊藤自身、激務のときでもよく散歩に出かけ、商店に立ち寄ったり、農漁民と気軽に接したり、地引網《ちびきあみ》にも参加したりと、庶民との対等のふれあいを心から愉《たの》しんでいた。

本年の一月に第三次伊藤内閣を組閣し、挙国一致体制を作り上げようとしたところ、大隈重信《おおくましげのぶ》の進歩党と板垣退助《いたがきたいすけ》の自由党が提携《ていけい》した憲政党の圧倒的多数に敵すべくもなく、六月下旬に両人を後継首相に奏請《そうせい》して、わが国初の政党内閣を誕生させ、みずからは野《や》に下《くだ》った伊藤である。自身も新政党結成に向けて動きだしたようだが、首相を辞《や》めて少しは時間的に余裕ができたのかもしれない、と茂は察する。

これまでも散歩中の伊藤を見かけてはいるものの、ことばを交わしたことはない。

「松本《まつもと》先生と橋本《はしもと》先生も一緒のようですね」

と天人がふたりを見定めた。

「ほんとだ」

松本順《じゅん》と橋本綱常《つなつね》である。茂は、この両名とは親しくさせてもらっている。

伊藤、松本、橋本と横並びに、もうひとり立っているが、知らないひとだ。

この四人より前へ出て、ひとり最も汀近くに立つひともいる。若い男だ。

（誰だろう……）

前首相や日本医学界の重鎮《じゅうちん》らを従えるような恰好《かっこう》で、海の景色を愉しんでいるのだから、若者はよほど身分が高いのではないか。

そして、かれら五人の後ろには、十数人の屈強そうな男たちが海に背を向けて立ち、周囲を警戒しているようすである。警護衆に違いない。

若者が、両腕を大きく広げ、ゆっくりと海の気を吸い込んだ。気持ち良さそうだ。

次に、今度はゆっくり吐《は》き出してから、振り返って、伊藤らに何か言った。

応じて、伊藤も松本も橋本も、見知らぬもうひとりも、辞儀を返す。それから、左右にふたりずつ分かれて、若者の前を空《あ》けた。

やはり、相当、身分高きひとらしい、と茂はあらためて思った。

かれら五人の動きに気づいた警護衆は、すかさず、その前後左右を固める。統制のとれた動きだ。

一行は、防風林のほうへ向かった。たぶん滄浪閣へ行くのだろう。

「えっ……」

茂は、呆気《あつけ》にとられた。なぜか天人が砂を蹴って、走り出したからだ。

一行の前面へ走り込みながら、天人は宙《ちゆう》高く跳《と》んだ。

暴漢の乱入とみて身構えた警護衆の鼻先の空中で、天人は飛来してきたものを右手に摑《つか》んだ。白いパナマ帽が風に飛ばされる。

着地した天人を、警護衆が取り囲んだ。

中のひとりが、腰のベルトにたばさんでいたピストルを抜く。

「早まるな。そのひとは怪しい者ではない」

声を張りながら前へ出てきたのは、松本順である。

「シンプソンくん。何があった」

「そこの防風林の中から飛んできました」

天人は、右手に持つ矢を掲《かか》げてみせる。防風林まで五十メートルぐらいだろう。

「早《はや》、射手《いて》を捕《と》らえよ」

と伊藤に命じられた警護衆の半数が、防風林めがけて駆け出す。残りは、周辺に素早く目を配《くば》る。

「天人。大丈夫」

馳《は》せつけた茂が、友の身を案じる。

「茂くんも一緒だったか」

と言ったのは橋本綱常である。

茂に続いて馳せ寄ってきたポチが、警護衆に向かって、低い唸《うな》り声を洩《も》らし、飛びかからんと四肢《しし》を撓《たわ》めた。

「いいのよ、ポチ。悪いひとたちじゃないわ」

ポチを追ってきたローダが、しゃがんで、忠犬を抱き留《と》める。

「ピストルをしまえ。子どもの前じゃ」

ピストルを抜いた警護長とおぼしい者を、伊藤が叱《しか》りつけた。

「申し訳ありませぬ」

その者は、慌《あわ》てて、ピストルを後ろ手にして、退《さ》がった。

「大磯に住むようになってから、きみを往来で見かけたことがある」

と伊藤が天人に声をかける。

「天人シンプソンです」

「そうか、きみが……。松本先生から聞いておる、幾度も人助けをしていると」

「偶々《たまたま》、そういうところに出くわしてしまうだけです」

「危《あぶ》ないところじゃった。礼を申す」

「どなたを狙《ねら》ったのか分かりませんが、殺す気はなかったようですね。鏃《やじり》が刃引《はび》きされていますから」

天人は、矢を伊藤に手渡した。

「矢文《やぶみ》じゃな」

矢柄《やがら》に結びつけられている紙を、伊藤は解《ほど》いて披見《ひけん》した。

「とうざんさんじょ」

読んだのは、天人の後ろから覗《のぞ》き込んだ茂である。

「よう読めたものだ」

伊藤が驚く。

「彼は吉田茂くん。学習院の学生ですよ」

と順が伊藤に、茂を紹介する。

「そうか。日本国の未来を担《にな》う青年であるな」

「意味も分かるか」

前首相に問われた茂だが、伊藤なら読めないはずも、意味が分からないはずもないと思う。若い頃、かの吉田松陰《よしだしょういん》の松下村塾《しょうかそんじゅく》で学んだほどのひとなのだから。伊藤が若者に花を持たせようとしているのだと察せられた。

「鼠《ねずみ》が穴の中へ入るように、逃げ隠れすることを逃鼠。芟除は、雑草などを刈り除くという意ですが、悪人や悪弊《あくへい》を除去することの譬えでもあります」

「ありがとう、吉田くん」

「礼を仰《おお》せられるほどのことではありません」

「どうやら、わしへの威《おど》しのようじゃな」

と伊藤は言ったが、恐れているようすはまったくない。

「おおかた山県《やまがた》のところの誰か跳《は》ねっ返《かえ》りの仕業《しわざ》であろうよ」

伊藤博文と山県有朋《ありとも》は長州《ちょうしゅう》出身の二大巨頭だが、藩閥《はんばつ》政治に固執《こしゅう》する山県閥は、伊藤が早くから企図《きと》していた政党結成をいちどは強引に阻止《そし》した。しかし、今回の大隈・板垣の憲政党内閣の誕生を伊藤が許したことで、山県閥の者らは激怒しているのだ。

それゆえ、伊藤のことを、憲政党の力に抗しきれず、半年足らずで首相を辞職して逃げた臆病《おくびよう》な鼠と誹《そし》り、退治してやると威すぐらいのことをする者が、かれらの中にいてもおかしくはない。伊藤には想定内のことであり、いちいち反応する気もないのだ。

「益体《やくたい》もない」

と片づけたあと、しかし、伊藤は付け加えた。

「なれど、誰であれ、矢を射た者は処罰せねばなるまい。わしへの威しとはいえ、まかり間違えば、殿下《でんか》を傷つけていたやもしれぬのじゃから」

殿下という一言に、茂は、あっと思った。伊藤らが傅《かしず》くようにしていた若者は、皇太子の明宮《はるのみや》に相違ない。

幼少期から虚弱《きよじやく》な明宮は、主治医である橋本綱常の大磯の別荘でたびたび静養している。橋本の別荘が松籟邸に近接するので、以前から、茂もそのことを聞いていた。ただ、微行《おしのび》なので、知ろうとするのは無礼《ぶれい》であるし、話題にするのも憚《はばか》られ、茂はこれまで明宮の姿を見たことはない。

いま橋本が寄り添っている若者こそ明宮であると分かった茂は、その場から少し退がって、目を伏せた。伊藤と対話しても物怖《ものお》じしないのに、尊貴《そんき》の皇太子へは無遠慮な視線を向けられない。後年、昭和天皇を衷心《ちゆうしん》より敬《うやま》い、みずからを「臣《しん》茂」と称した吉田茂は、若い頃から皇室への尊崇《そんすう》の念が深かったのである。

「射手はおそらく小淘庵《おゆるぎあん》に逃げ込んだのであろう。捕らえてまいれ」

警護長に、伊藤が命じた。

「山県は滞在しておるまいが、この場の子細《しさい》を告げれば、上長《じようちよう》の者がまともな長州者なら、素直に射手を差し出そう」

「ただちに」

と警護長が離れようとしたとき、

「待て」

呼び止められた。

声を発したのは明宮である。

警護長は、恐懼《きようく》し、その場に折り敷いた。

「伊藤」

と明宮が視線を移す。

「はっ」

伊藤は姿勢を正した。

「躬《み》は臣らの争いを好まぬ。まして、ここ西小磯では、いま子供たちが七夕祭の準備をしている。慎《つつし》め」

「畏《おそ》れ入りましてございます。御意《ぎょい》に従いまする」

明宮に対してそう奉答《ほうとう》した伊藤から頷いてみせられた警護長は、その場を離れずに留《とど》まった。

「吉田茂と申したか。近《ちこ》う」

明宮が茂に命じた。

茂の鼓動《こどう》が一挙に速まる。皇太子から直々《じきじき》に名を呼ばれるなど、想像してみたことすらない。

「茂くん。皇太子殿下のご所望《しょもう》じゃ。前へ出なさい」

躊躇《ためら》っている茂を、松本順が促《うなが》した。

茂は、ひとつ息を吐いてから、歩を進めた。

「幾歳《いくさい》になる」

最初の下問である。

「はい。今年の九月二十二日で、満二十歳に相《あい》なります」

声が震《ふる》えそうになるのを必死で怺《こら》えながら、茂はこたえた。

「では、先輩であるな。もっとも、躬は学問が不出来《ふでき》で、学習院にはほとんど通っておらぬが」

明宮が自分より一歳下であることを、茂は知っている。

初等科から学習院に入った明宮だが、病気がちであることに加え、社会生活に馴《な》染《じ》めなかったこともあり、初等科では休学ばかり、中等科でも学業の遅れを取り戻せず、一年で中退した。茂が昨年十月に学習院へ編入したときには、とうに明宮はいなかった。いまは東宮御所《とうぐうごしょ》で名だたる学者たちから個人講義を受けている。

「畏れながら、殿下。書を読み、それらの知識を貯《たくわ》えるだけが学問ではないと存じます」

明宮というのは、わずか一年の間に流行性感冒《かんぼう》、腸チフス、肋膜炎《ろくまくえん》、肺炎などに相次《あいつ》いで罹《かか》り、一時は四十二度以上の高熱で重体に陥《おちい》って死線を越えた経験をもつ。そのときは日本中の人々が心配したものだ。闘病が日常のようなひとなのだから、学問に身が入らないのは当然ではないか、と前々から気の毒に思っている茂だった。

「缶《ほとぎ》を鼓《こ》して歌うも亦是《またこ》れ学、こうして晦《かい》に嚮《むこ》うて宴息《えんそく》するも亦是れ学と存じます」

缶とは、腹が太く口がつぼんでいる素焼《すや》きの器のことで、おもに酒を入れる。古代中国の秦《しん》では、この底を叩《たた》いて歌の調子をとる打楽器としても用いた。缶を鳴らして歌い楽しむことも学問である。

晦に嚮うては、夜に向かっての意、すなわち、夕方。宴息は、くつろいで息《やす》むことで、安息と同意である。いま明宮が、夕方を迎えて、海を眺めながら安息のときを過ごしていることもまたこれ学問なのだ。

学問が不出来であると明宮が卑下《ひげ》する必要などまったくない、と茂は言いたいのである。

だが、明宮が真《ま》っ直《す》ぐに見つめてくるので、お怒りをかったと省《かえり》みた茂は、すぐに謝罪した。

「差し出がましいことを申しました。お恕《ゆる》し下さい」

「楽しく歌うもゆるりと息むも学問か」

明宮の声が少し明るくなった。

「茂」

「はっ」

「七夕祭を楽しむのも学問であるな」

「仰せの通りにございます」

「では、明日、茂が案内せよ」

息が停《と》まりそうになった茂だが、それは一瞬のことにすぎず、しぜんと笑顔になれた。おのれの情意が皇太子に伝わった嬉しさが勝《まさ》ったのだ。

「身に余る栄誉《えいよ》。喜んでお供させていただきます」

茂のその返辞《へんじ》に、明宮は微笑《ほほえ》んだ。

「では、明朝、滄浪閣へ来なさい」

と伊藤が茂に言った。橋本の別荘よりはるかに広い滄浪閣に、明宮は滞在するようだ。

一行は、皆で明宮を守る恰好で、防風林のほうへ歩き出す。

茂と天人が最初に見たとき、伊藤、松本、橋本と並んでいた見知らぬひとが、最後尾から天人へ歩み寄ってきた。

年輪を刻んだ顔だが、前額《まえびたい》が秀《ひい》で、目鼻立ちもくっきりしている。洋服を着慣れている印象で、鍔広《つばひろ》の麦藁帽子《むぎわらぼうし》も形が美しく、安物《やすもの》ではなさそうだ。ひとかどの人物に違いない。

「わたしの持っているものより高価ですな、これは」

そのひとは、天人にパナマ帽を差し出した。風に飛ばされたのを、拾ってくれたのだ。

「ありがとうございます」

天人も、礼を言って受け取ってから、そのひとの麦藁帽子を褒《ほ》めた。

「特別仕立てのようですね、そのストローハット」

「よくお気づきですな。頭の寸法に合わせて仕立ててもらいましてな」

「お似合いです」

すると、少し離れた一行の中から、声が上がった。

「けいいきさん」

首《こうべ》を回して、手を挙げたのは明宮である。

「ただいま参ります」

明宮に手を挙げ返してから、けいきさんと呼ばれたひとは、天人と茂に会釈《えしゃく》をのこして、その場をあとにした。

「あの方は……」

にわかに思い至った茂が、目を円《まる》くする。

「どうしたのです、茂」

「あの方は、徳川慶喜《よしのぶ》どのです」

江戸幕府最後の将軍・徳川慶喜は、戊辰《ぼしん》戦争終結後、死一等を減ぜられ、謹慎《きんしん》処分も解《と》かれながら、多彩な趣味人となって永《なが》く静岡《しずおか》に閑居《かんきょ》しつづけた。その間、官軍との交渉の大功労者だった勝海舟《かつかいしゅう》と、慶喜の雪冤《せつえん》のための伝記を編纂《へんさん》中の旧臣・渋沢栄一《しぶさわえいいち》のほかは、旧幕臣の訪問を拒《こば》んだ。新政府を憚ってのことだろう。

ようやく東京へ移り住んだのが、昨年の明治三十年十一月のことである。巣鴨《すがも》一丁目に三千坪の屋敷を構えた。

そして、本年の三月二日、慶喜は、有栖川宮威仁親王《ありすがわのみやたけひとしんのう》の斡旋《あっせん》によって参内《さんだい》し、天皇・皇后両陛下《へいか》への拝謁《はいえつ》を許されたのだ。

朝廷を敬い、政権を返上し、自身は恭順《きょうじゅん》を貫《つらぬ》いた慶喜を、事実上の江戸追放のような憂《う》き目《め》にあわせた。そのことを、少し悔《く》いていた天皇だが、およそ三十年ぶりの再会で、慶喜から「浮世《うきよ》のことはしかたない」と言われて、心が軽くなったという。以後、慶喜は宮中の公式行事に招待される身となった。

そんな慶喜に、なぜか明宮が惹《ひ》かれて、「けいきさん」と呼んで、たちまち親しくなったということを、茂は松本順から聞いていたのだ。

「考えてみれば奇妙だよね、日本の支配者をきめる血みどろの戦いをした敵と味方が、いまやこんなに穏《おだ》やかな関係だなんて。これが歳月《さいげつ》というものなのかな」

思いがけず皇太子と触れ合えたことで気分の昂揚《こうよう》した茂は、したり顔をしてしまう。

「茂」

天人が真顔《まがお》になる。

「伊藤侯爵はともかく、帝《みかど》も宮様《みやさま》も、あの徳川どのも、安《やす》きところから命令を発する、血みどろとは無縁の方々です。みずから銃剣《じゅうけん》をふるって戦い、心身ともに傷つき、そして目の前で愛する者が殺されてゆくのを見たひとたちの怨《うら》みは、そう簡単に消えるものではありません」

「けど、戦った敵味方がやがて理解し合うって、良いことだと思うよ」

「いちばん良いのは戦争をしないことです」

日本の戊辰戦争と同様、アメリカの同胞同士で殺し合った南北戦争の勝者グラント将軍が、おのが死を迎えるまで後悔しつづけたことを知る天人である。が、自分とグラント将軍の関《かか》わりは、これまで茂に明かしていないので、いまも語らない。

「ふたりとも、白山神社に参拝するんでしょ。カモーン」

ローダが、満面の笑みを振りまいた。勘の鋭《するど》いこの少女は、大好きな天人と茂の間に、何やら気まずい空気が流れたと感じたのだ。

「行きましょう、茂」

「うん」

ふたりも微笑み合う。

最初に射手を捕らえにいった警護衆は、結局はその影すら発見できなかったものの、明宮の御意を奉じた伊藤が、山県閥絡《がら》みと思われるこの一件を不問《ふもん》に付すことにしたので、犯人捜《さが》しも即座に打ち切られた。

茂たちは、白山神社に詣でてから、帰路につき、日暮れて、茂とポチは松籟邸へ、天人とローダは五色の小石荘へ戻った。

五色の小石荘では、夕食前だというのに、家令《かれい》のマイクの姿が見えない。

「わたしが散歩に出るときに見送ってくれたはずですが……」

玄関ホールで天人が訝《いぶか》ると、マイクの妻のジェーンも不審を口にした。

「天人さまが出かけられたあとすぐ、マイクは血洗川沿いの小道《こみち》を掃除しにいきました。しばらくしてようすを見にいってみると、小道に掃除道具だけが残されていたのです」

「めずらしいことですが、夕食に必要な何かを思い出して、買いにいったのでは」

「それなら、ことわってからいくと存じます」

「きっと急《きざ》いでいたのでしょう」

不吉の兆しを感じた天人だが、ジェーンを不安にさせないよう、平静を装《よそお》った。

天人の心中を過ったのは、クアーである。ジョサイア・キャシディが使うインディオの殺し屋だ。先月、天人自身が広尾《ひろお》の吉田邸の前で襲われた。姿は現さなかったが、クアーの得意とする武器ガンストックの三角刃が、暗がりから飛んできたのだ。

「あるいは、お隣で北条さんと話し込んでいるのかも」

マイクと松籟邸の執事《しつじ》・北条はいままでは知友《ちゆう》といえるほど仲が良い。

「それはないと存じます。主家が第一のおふたりですから、お役目を蔑《ないがし》ろにして話し込むなどということは……」

「そうでしたね。心配は要《い》らないと思いますが、わたしが近くを見てきましょう」

天人が玄関扉のほうへ向かい、

「天人さまにさようなことはさせられません」

ジェーンが止めようとしたとき、外から扉が開けられ、マイクが帰ってきた。

「遅くなって申し訳のないことでした」

天人は、ほっとする。見たところ、マイクはどこも怪我《けが》などしていないようだ。

「どこへいらしてたのです」

ジェーンが咎《とが》めた。

「いま天人さまが捜しにいかれるところだったのですよ」

「実は、小道の二号国道との出入口あたりを掃いているとき、驚くまいことか、幼馴染《おさななじ》みが通りかかったのでございます」

マイクは天人に言った。

「会津《あいづ》の本郷村《ほんごうむら》の、ということですか」

「さようにございます」

まことの名を長江勘兵衛《ながえかんべえ》というマイクは、会津若松《わかまつ》城から二里《り》ばかりの本郷村に生まれ育った。会津藩の藩営製陶所《せいとうじょ》が設けられた陶工の村である。

「近所の瀬越《せごし》という家に、わたしより三つ、四つばかり年下の八女《やめ》という、男勝《おとこまさ》りの娘がおりました。村の剣術道場に通って、わたしなどにもよく木剣《ぼっけん》で挑《いど》んでまいったものにございます」

三十数年ぶりに八女と出会ったときの状況を、マイクは語りはじめた。

二号国道を男の子と共に歩いていた女を、マイクが一見して、八女と見定められたのは、手洟《てばな》をかんだからである。八女は少女の頃、手洟をかむのが得意で、女のその仕種《しぐさ》がまったく同じだったのだ。

「八女」

呼び止めると、こちらへ振り向けられた顔は、引き攣《つ》っていた。

同行の男の子は素早く身構える。

(これは……)

男の子ではなく、男だった。随分《ずいぶん》と小柄《こがら》で、八女よりも背が低かったので、最初は見誤ったのだ。よくよく見れば三十歳をこえていそうである。

「怪しい者ではない。憶《おぼ》えておらぬか、本郷村の長江の勘兵衛だ」

そう明かしながら、マイクは歩み寄った。

「ああ……」

八女は、思い出したようだが、それでも表情から警戒の色は消えなかった。

「久しや。よもや近在か」

「いいえ。別荘地として有名な大磯をいちど訪れてみたくて、こうして伜《せがれ》と……」

「さようか、ご子息か。名は」

「てる」

「字は」

「輝くの一文字で、輝《てる》にございます」

「よい名だ」

マイクが褒めても、しかし、輝はにこりともしない。

「あの、長江どの。急いでおりますので、これで」

ことばも早口になる八女である。

「ならば、旅館まで送っていこう。わたしはこのあたりに詳しいのだ」

「宿泊はいたしませぬ。これより駅へまいります」

「なおさら送ろうぞ。逢魔時《おうまがとき》も近いゆえ」

昔から、暮方《くれがた》の薄暗い時刻は、魔に逢うとか、大きな禍《わざわい》が起こるなどといわれるのだ。

「お気持ちだけ、ありがたく……」

八女がそこまで言ったとき、二号国道の東のほうからこちらへ駆け向かってくる男がふたり。いずれも屈強そうだ。

マイクは知らないが、小淘綾の浦で明宮や伊藤を警護中だった者らである。矢文の射手を捜しているのだ。

「されば、お言葉に甘えさせていただきます。駅までお送り願いとう存じます」

「では、参ろう」

マイクは、八女と輝と連れ立って歩きだした。

屈強な男ふたりは、マイクらをちらりと見ただけで、走り過《と》ぎていった。夫婦と子供が散歩でもしているようにしか見えないから、気にも留めなかったのだろう。

大磯駅までの道すがら、これまでの来《こ》し方《かた》を色々と訊《たず》ねたマイクだが、八女はあまり話したがらず、話しても言葉を濁《にご》した。

駅に着くと、上りの陸蒸気《おかじょうき》の発着時間にはまだ暇があったので、八女と輝を待合所に置いて、マイクは別れを告げた。

「八女が来し方を話したがらなかったのは、奉公《ほうこう》にあがった主家が悲運に見舞われたからであろうと察せられましてございます」

とマイクが天人に言う。

「その八女さんの主家に何があったのか、訊いてもよいですか、マイク」

「はい。もう昔々《むかしむかし》のことでございますから」

ひとつ息を吐いてから、マイクは明かす。

「八女の主家は、はじめは井上丘隅《いのうえおかずみ》家、次いで神保長輝《じんぼながてる》家にございました」


八月六日の昼頃。

西小磯では、各組の子供連が、ひとりひとり短冊を付けた竹飾りを持ち寄って、それぞれの組の今年の七夕宿に集合する。七夕宿は毎年、籤引《くじびき》によって決まり、門口にこれも子供たち手作りの万灯《まんどう》が立てられる。盆の迎え火や精霊《しょうろう》送りの火を万灯という。

七夕宿を出発すると、竹飾りで地面を叩きながら、昔から伝わる唱《とな》え言《ごと》を皆で発する。

「エートッセ」

「ヤートサカセ」

「ナム　セキソン　ダイテンノウ　ショウテンノウ」

「ナム　キミョウチョウライ　ザンゲ　ザンゲ　ロッコンショウジョウ　オオヤマダイショウ」

「フードンドン　フードンドン」

　年少は四、五歳、年長でも十五歳前後だから、声変わりをした子以外は皆、濁りのない可愛《かわい》らしい声である。

　かれらを見戍《みまも》りながら随行するおとなたちも、沿道の見物の人々もしぜんと顔が綻《ほころ》び、歓声や拍手《はくしゅ》を浴びせる。

　幕末に参勤交代制度が崩壊し、維新後は東海道の宿駅制も廃止されると、大磯から賑《にぎ》わいはすっかり失《う》せ、西小磯の七夕祭も寂しいものとなった。しかし、照ヶ崎の海水浴場開設と東海道鉄道の停車によって、大磯全体の様相は激変する。東京・横浜からの海水浴客や、年々増える別荘族が、西小磯という一《いち》地域の七夕祭まで、独自の面白い行事とみて楽しむようになったのだ。この祭の開催日に合わせて旅館を予約する客もいるという。

「この子たちは、地元の氏神《うじがみ》さまや道祖神《どうそじん》、井戸や辻《つじ》などをお祓いしながら経巡《へめぐ》ります」

楽しげに竹飾りで地面を叩く子供連を眺める茂が、並んで立つ明宮に説明した。

二号国道に面した滄浪閣の正門前である。

微行《おしのび》の明宮は、麦藁帽子と手拭《てぬぐい》とで顔のほとんどを隠している。

それでも、周辺で見物したり、子供連についていくおとなたちは、こちらに向かって辞儀をしたり、手を振ったりする。明宮の存在には気づかなくとも、伊藤博文、松本順、橋本綱常を知るひとが多いからだ。

徳川慶喜も明宮の傍《かたわ》らに顔を晒《さら》して立っているものの、およそ三十年も静岡に逼塞《ひっそく》していた幕府最後の将軍の容姿《ようし》を知る者などいない。

「お祓いも、昔は同じ所を七回祓ってまわったり、六日に六回、七日に七回祓う組があったり、様々だったようです」

「なるほど、節供《せっく》に倣《なら》ったのであろうな」

と明宮は頷いた。

陰陽五行《いんようごぎょう》説では奇数が陽とされ、月日ともに同じ奇数となる一月一日（のちに一月七日）を人日《じんじつ》、三月三日を上巳《じょうし》、五月五日を端午《たんご》、七月七日を七夕、九月九日を重陽《ちょうよう》と称して、嘉祝《かしゅく》の日とし、朝廷では年中行事だったのだ。民間でも五節供といい、それぞれ祝い事をする。

「子らは何か特別なものを食すのか」

明宮が茂に下問する。節日《せちにち》に供御《くご》、すなわち天皇に飲食物を奉《たてまつ》るので節供なのだ。

「地区内を一巡後、いったん七夕宿に戻って、安倍川餅《あべかわもち》をいただく組が多いそうです」

そう聞いて、明宮は慶喜を見やった。

「けいきさん。安倍川餅と申せば、駿府《すんぷ》の名物であろう」

「仰せの通りにございます。焼き餅を湯に浸《ひた》し、砂糖入りのきな粉《こ》をまぶして食します」

「何やら美味《うま》そうであるな」

ごくり、と明宮が唾《つば》を呑《の》み込んだ。

茂は一瞬、七夕宿から貰《もら》ってきてやろうと思ったが、すぐに考え直す。いくら皇太子自身が召し上がりたくても、庶民の家の食べ物など、まわりが許さないだろう。許されたとしても、毒味やら何やらを経《へ》ることになり、一筋縄《ひとすじなわ》ではいくまい。

「夕食も七夕宿で摂《と》りますが、そのさいは赤い飯や煮物、西瓜《すいか》などが出るようです」

と茂は付け加えた。

「それらを子らが皆で一緒に食すのか」

「さようです」

「楽しいであろうなあ……」

心から羨《うらや》ましそうな明宮の一言である。

いずれ天皇とならねばならない明宮の孤独というものを、茂は感じた。

「御免蒙《ごめんこうむ》ります」

ふいに、慶喜が言って、明宮の頭上へ手をのばした。ひらひらと舞い落ちてきた短冊を摑んだのだ。

地面を叩く子供連の竹飾りから、短冊などが落ちたり、風で飛ばされたりするのも、この祭の面白さのひとつである。

「それは縁起物《えんぎもの》です」

と茂が説《と》いた。縁起物だから、見物人たちは挙《こぞ》って拾うのだ。

「殿下のところに舞い降りてきた短冊にございます」

慶喜から差し出された短冊を、明宮は受け取って、書かれている文字を見た。

途端に、肩を落とし、溜《た》め息をつくと、

「少し疲れた」

囁《ささや》くように言って、踵《きびす》を返してしまう。

茂は、邸内へ戻ってゆく明宮の背を見送りながら、その手から零《こぼ》れ落ちた短冊を拾い上げた。

うつべし、ろじん

（討つべし、露人）

に違いない、と茂は読み解いた。

日清《にっしん》戦争以来、日本の世界進出を阻止《そし》しようとするロシアを、日本人の多くは完全な敵国とみなしている。いつかロシアを打ち負かすため、いまは臥薪嘗胆《がしんしょうたん》のときであるというのは、童《わらべ》でも思い決していることなのだ。

もしロシアと開戦に至ったとき、天皇の座に父ではなく自分がついていたら、と明宮は想像したのではないか。虚弱な皇太子に堪《た》えられるものではあるまい。

「殿下に要らざるご苦悩を……。わたしが読んで、すぐに破り捨てればよかった」

息のかかる近さで、短冊の文字を読んだ慶喜が、おのれを責める。

茂は、天人の言葉を思い出した。

「いちばん良いのは戦争をしないことです」

暮方、茂は提灯《ちょうちん》を手に、あらためて滄浪閣へ赴《おもむ》いた。

お祓いに用いた竹飾りをすべて束ね、龍《りゅう》に似せて仕立てた竹神輿を担《かつ》いで、再び子供連が地区内を回るのだ。各家では賽銭《さいせん》を用意して待つ。

滄浪閣の正門前へ達すると、門衛《もんえい》のほかは、ひとり徳川慶喜だけが佇《たたず》んでいた。

「殿下はご気分が優《すぐ》れぬ。伊藤さんらも、殿下が楽しめぬのでは、と見物を遠慮された」

「そうでしたか。でも、徳川さまは……」

「けいきさんには楽しんでほしいと殿下が仰《おつしや》るのだ。賽銭も預かっておる」

「では、ぼくとふたりで」

「お若いひとがいてくれたほうが、わたしも嬉しい」

やがて、賑やかに囃《はや》されながら、竹神輿を担いだ子供連がやってきた。まわりを、おとなたちが提灯の明かりで照らしている。

面《めん》をつけている子らもいた。おかめ、ひょっとこ、狐《きつね》などだ。

その中の狐面《きつねめん》の子がひとり、手踊りをしながら寄ってくる。賽銭を頂戴したいのだろう。

（あれ……）

茂は訝った。

狐面の子の体つきに、違和感をおぼえたのだ。小柄だが、何やら出来上がったような筋骨《きんこつ》に見える。あたりが暗くなったので、確《しか》とは分からないが。

慶喜が懐《ふところ》から、和紙に包んだお金を取り出す。

するとと、狐面は、右手を後ろ手にして、左手を差し出した。そのまま慶喜へ迫る。

狐面の右手が動き、提灯の明かりをうけて何かがきらめいた。

だが、狐面の短刀を持った右手は、横合いから何者かに手首を掴まれ、動きを止めた。

「天人っ」

何が何やら分からないものの、天人らしい登場の仕方だ、と茂は思わざるをえない。

天人は、慶喜を刺そうとした者の狐の面を、顔から剝《は》ぎ取る。八女の息子の輝であるが、もとより茂は初めて見る男だった。

往来の向こう側の路傍《ろぼう》では、マイクが八女を取り押さえたところだ。八女から抜き身の小太刀《こだち》を取り上げている。

思わぬ捕《と》り物《もの》に、見物の人々はざわつき、子供たちは茫然《ぼうぜん》とする。

「きのうの射手も、いま、向こうの暗がりで、わたしの家の者が捕らえています」

と天人が慶喜へ告げた。

「では、あの矢文の文言《もんごん》は……」

ようやく思い当たった慶喜である。

会津藩家老《かろう》・神保家の長輝は、幼少期から秀才を謳《うた》われ、主君・松平容保《まつだいらかたもり》が京都守護職《しゅごしょく》を拝命すると、側近《そっきん》として仕《つか》え、国事によく励んだ。しかし、大政奉還《たいせいほうかん》後、先行きが見えていた長輝は、抗戦論が大勢《たいせい》を占める中、徳川慶喜に不戦恭順を進言した。それでも鳥羽《とば》・伏見《ふしみ》の戦いは避けがたく、長輝も会津藩の軍権を担ってやむなく出陣する。ところが、幕軍に寝返りが続出し、対する新政府軍は天皇より錦旗《きんき》を賜《たまわ》ったことで、敗色濃厚とみた長輝は、慶喜と容保が朝敵《ちょうてき》となることを恐れ、再度、恭順を強く説いた。

慶喜は、恭順を受け容《い》れず、諸将の前で、大坂城《おおざかじょう》を枕《まくら》に討死する覚悟を決然と示す。だが、その数時間後には容保らとともに大坂城をひそかに脱し、海路、開陽丸《かいようまる》で江戸へ逃げてしまう。総大将の敵前逃亡は恭順とは意味合いが違う。仰天《ぎょうてん》した長輝は、天保山湊《てんぽうさんみなと》へ馳せつけたものの、すでに出航後だった。慶喜を諫《いさ》めるべく、長輝は馬で東海道を江戸まで駆け下った。

経緯を子細に把握《はあく》していない抗戦派は、長輝が慶喜を唆《そそのか》し、ともに開陽丸で逃げたときめつけ、激昂《げっこう》する。かれらは、江戸の会津藩和田倉上屋敷《わだくらかみやしき》に長輝を幽閉《ゆうへい》し、鳥羽・伏見の敗戦と将軍東帰《とうき》の罪を一身に背負わせた。

長輝の人となりと才を惜《お》しむ勝海舟は、慶喜に訴え、その身柄を台命《たいめい》をもって江戸城へ引き取ろうと画策《かくさく》する。が、いまさら慶喜の命令など、抗戦派が奉じてくれるものではない。長輝は弁明も、主君容保への拝謁も許されず、切腹を命じられたのだ。

「生死《せいし》君《くん》に報《ほう》ず、何《なん》ぞ愁《うれ》うるにたらん」

切腹が君命というのなら、臣として従うのは当然であり、不満は一切《いっさい》ない、と長輝は従容《しょうよう》として自刃《じじん》する。

ただ、死に臨《のぞ》んで、こうも語っている。

「後世吾《わ》れを弔《とむら》う者、請《こ》う岳飛《がくひ》の罪あらざらんことをみよ」

岳飛とは、中国は南宋《なんそう》の武将で、大いなる戦功を挙げながら、秦檜《しんかい》の画策によって獄死した愛国の英雄である。

長輝には、雪子《ゆきこ》という最愛の妻がいた。美男美女の夫婦で、その仲睦《なかむつ》まじさとともに羨まない者はいなかった。

雪子は、会津藩の女だけで編成された娘子隊《じょうしたい》に属して戦い、夫切腹の悲報を受けてからは死に場所を求めていた。そして、大垣《おおがき》藩兵に捕らわれたとき、折しもその陣営に来ていた土佐《とさ》藩の吉松速之助《よしまつはやのすけ》が、もはや婦女子の斬罪《ざんざい》など無意味であると主張して揉《も》めているさなか、速之助から脇差《わきざし》を借りて、その場で瞬時に自害してしまう。

マイクの幼馴染みの八女は、雪子の実家の井上丘隅家に奉公し、雪子付きの侍女《じじょ》となり、その奉公人思いのやさしい女主人を心から敬い、この御方《おかた》のためなら喜んで死ねると思った。

雪子が神保長輝に嫁《とつ》いでも、請《こ》われて随従《ずいじゅう》した八女は、その神保家で長輝付きの若党である西川六兵衛《にしかわろくべえ》に惹かれた。六兵衛は、雪山で遭難したとき、長輝みずからの捜索によって命を救われており、八女と同じく長輝に生涯を捧《ささ》げるときめていた。

長輝・雪子夫妻は、六兵衛と八女の婚礼を取り仕切ってくれて、生まれた男児の名付け親にまでなってくれた。長輝の諱《いみな》の一字を授かって、輝である。

六兵衛と八女にとって、長輝と雪子の死はあまりに理不尽《りふじん》だった。尊敬してやまなかったふたりの非業《ひごう》の死は、徳川慶喜が敵前逃亡をしたことに起因する。長輝夫妻の恩を受けた輝が成長するのを待って、必ず親子三人で慶喜に復讐《ふくしゅう》すると誓《ちか》った。

静岡に逼塞中の慶喜は、ひとと会うのを避けていたので、八女らはなかなかその機会を得られなかった。が、慶喜が東京住まいとなってからは、それなりの計画を立てれば可能だと思えた。慶喜が大磯の滄浪閣に滞在して、その地を楽しむつもりと知ったとき、きっと好機は訪れると確信する。それが西小磯の七夕祭だった。六兵衛が射た矢文の文言「逃鼠芟除」は、敵前逃亡した臆病で卑怯《ひきょう》な慶喜を殺すという予告だったのである。

天人も、マイクが二号国道で八女と偶然出会い、八女の過去を語ってくれなければ、八女・六兵衛・輝の慶喜暗殺計画を読みきれなかっただろう。六日の夜、輝が失敗した場合に備えて、二号国道の北側の暗がりから矢を構えて待機していた六兵衛を捕らえたのは、ジャックとサイラスである。

「徳川さま、というか、けいきさん、大丈夫かなあ、討ちたいなら、いつでもなんて言っちゃって……」

茂は案じた。

五色の小石荘の東棟《ひがしとう》ダイニングで、冷えたレモン水を飲んでいる。

いまごろ、徳川慶喜は東京の白金台《しろかねだい》に建つ興禅寺《こうぜんじ》にいるはずだ。神保長輝の墓参りである。

あの夜、天人らが捕らえた六兵衛・八女・輝を、慶喜は解放してほしいと頼んだ。そして、三人には心情を吐露《とろ》した。

「わたしは、大坂から江戸へ逃げたあの日から、臣らへの背信《はいしん》の罪を忘れたことはない。殺してくれるのなら、むしろありがたい。自害する勇気はないのでな。討ちたいなら、いつでもよろしい」

輝が泣き崩れたので、六兵衛と八女は驚いた。

「親父《おやじ》さまとお母《かか》さまの怨みをわがものとする人生は、もうたくさんだ」

輝自身は、長輝も雪子も記憶にないひとなのだから、当然の思いだったろう。

解放されて去るとき、親子三人は無言で首《こうべ》を垂《た》れた。

「天人の言った通りだね。ひとの怨みって、そんな簡単に消えないんだ。それと、後悔も」

「茂の言ったことも素敵です。戦った敵味方がやがて理解し合う」

「ぼく、将来、やりたいことの輪郭《りんかく》が見えてきた気がするよ」

「成長していますね、茂は」

「まあね」

窓外の緑の庭では、ローダとポチが戯《たわむ》れている。心地よい一時《ひととき》である。

〈第二十話　了〉

わたしのちょっと苦手なもの⑫

フィクションのキャラ名

井上真偽（作家）

キャラクターの名前を覚えるのが苦手である。

そもそも名前を覚えるのが得意ではない。実社会で関わる人の名前は忘れるといろいろと支障《ししょう》が生じるので必死に覚えるが、よく買うスナック菓子や日用品などの商品名、店名や地名など、「覚えなくてはいけない」というプレッシャーがないものはあまり覚えられない。中でもフィクションなどの娯楽《ごらく》作品はなるべく頭をからっぽにして楽しみたいので、覚えるという努力さえしない。

たとえば自分の大好きな作品に、ゲーム・オブ・スローンズというネットフリックスのドラマがある。中世ヨーロッパ風の架空《かくう》の世界を舞台に、帝国の玉座【スローン】を巡って王位継承者たちが骨肉の争いを繰り広げるファンタジードラマだ。

しかしそんな一推しの作品でさえ、登場人物の名前がぱっと出てこない。物語中の成長が著しい魅惑的なドラゴンの女王も、裏切りと騙し合いが常のこの非情な世界の中でも道徳的であろうとする北部の貴族の私生児も、他人への残忍さと弱者への優しさを併せ持つ醜《みにく》い小人の西部総督第三子も――唯一、「サーセイ」という王妃の名前だけは覚えているが、彼女については作中のとある大逆転エピソードが強烈に脳裏《のうり》に焼き付いているからであって、別に推しキャラというわけではない。

決して興味がないから覚えないわけではないのだ。まあそれだけなら単に自分がもやもやするだけだが、問題は人と作品について語るときである。せっかく同じ作品のファンと出会えても、主要人物の名前もろくに言えないので話が盛り上がらない。それどころか、「本当に好きなの？」と不審《ふしん》な目で見られてしまう。

思うに、これは血筋なのだろう。自分の父親も、物の名前、特にカタカナ語を覚えるのが非常に苦手なのだ。

ただこれについては、父親のほうがもっとひどい。忘れるどころか、違う名前に変換して覚えてしまうからだ。この前も散歩がてら訪れたお寺の住職さんと立ち話中、境内《けいだい》に咲いていた「ウコン桜」のことを「ウ〇〇桜」と連呼《れんこ》し、隣にいた母親にとても恥ずかしい思いをさせたという。

そんな醜態《しゅうたい》を晒《さら》すくらいなら、いっそ名前など無理して覚えないほうがいい。そう割り切って生きていこうと思う。ちなみにハリー・ポッターも大好きな作品であるが、推しキャラは友達にませた口調で呪文の唱《とな》え方を教えるフワフワの縮《ち》れ髪の女子と、やたら主人公への当たりが強い、育ち過ぎたコウモリみたいな外見の陰気な教師である。

いのうえ　まぎ　神奈川県出身。『恋と禁忌の述語論理』で第51回メフィスト賞を受賞してデビュー。『聖女の毒杯　その可能性はすでに考えた』が「2017本格ミステリ・ベスト10」の第1位となる。著書に『アリアドネの声』『ぎんなみ書店街の事件簿』など。

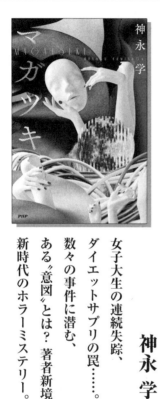

文蔵

◆筆者紹介◆

7・8月号

あさのあつこ

54年岡山県生まれ。「バッテリー」シリーズで数々の賞を受賞。著書に、「おいち不思議がたり」「The MANZAI」「NO.6」「弥勒の月」シリーズ、などがある。

瀧羽《たきわ》麻子《あさこ》

81年兵庫県生まれ。２００７年『うさぎパン』でダ・ヴィンチ文学賞大賞を受賞し、デビュー。著書に『ありえないほどうるさいオルゴール店』『博士の長靴』など。

寺地はるな《てらち　はるな》
77年佐賀県生まれ。14年『ビオレタ』で第4回ポプラ社小説新人賞を受賞。著書に『川のほとりに立つ者は』『水を縫う』『ガラスの海を渡る舟』など。

中山七里《なかやま　しちり》
61年岐阜県生まれ。09年『さよならドビュッシー』で「このミステリーがすごい！」大賞を受賞。著書に『越境刑事』『帝都地下迷宮』『ヒポクラテスの悲嘆』など。

宮本昌孝《みやもと　まさたか》
55年静岡県生まれ。『天離り果つる国』で、『この時代小説がすごい！　22年版』の単行本部門第一位を獲得。著書に、『剣豪将軍義輝』『ふたり道三』『風魔』など。

村山早紀《むらやま　さき》
63年長崎県生まれ。『ちいさいえりちゃん』で毎日童話新人賞最優秀賞、椋鳩十児童文学賞を受賞。代表作に「コンビニたそがれ堂」「桜風堂ものがたり」シリーズなど。

和田はつ子《わだ　はつこ》
東京都生まれ。日本女子大学大学院修了。著書に「料理人季蔵捕物控」「ゆめ姫事件帖」「口中医桂助事件帖」「花人始末」シリーズなどがある。

Vol.197　2023年1・2月
〈ブックガイド〉新世代のミステリー作家に大注目

Vol.198　2023年3月
〈特集〉「建物」が生み出す物語
●新連載小説　西澤保彦「彼女は逃げ切れなかった」（〜2024・1・2）
●新連載エッセイ　わたしのちょっと苦手なもの

Vol.199　2023年4月
〈特集〉二刀流作家の小説が面白い

Vol.200　2023年5月
〈特集〉あさのあつこ その作品世界の魅力

Vol.201　2023年6月
〈特集〉時代を映す「青春小説」
●新連載小説　瀧羽麻子「さよなら校長先生」

Vol.202　2023年7・8月
〈特集〉ジョブチェンジ小説で未来を拓け
●新連載小説　村山早紀「桜風堂夢ものがたり2」

Vol.203　2023年9月
〈特集〉竹宮ゆゆこ作品の魅力に迫る
●新連載小説　あさのあつこ「おいち不思議がたり」
寺地はるな「世界はきみが思うより」

文蔵◆バックナンバー紹介

Vol.204　2023年10月
〈特集〉「スパイ・国際謀略」小説
●新連載インタビュー　推し本、語ります

Vol.205　2023年11月
〈特集〉小説で考える「ルッキズム」

Vol.206　2023年12月
〈特集〉作家・今村翔吾の軌跡

Vol.207　2024年1・2月
〈特集〉小説で読み解く紫式部と「源氏物語」

Vol.208　2024年3月
〈特集〉とにかくかわいい「猫小説」

Vol.209　2024年4月
〈特集〉目が離せない！　神永学の作品世界
●新連載小説　和田はつ子「汚名　伊東玄朴伝」

Vol.210　2024年5月
〈特集〉「大正時代」が舞台の小説
●新連載小説　中山七里「武闘刑事」

Vol.211　2024年6月
〈特集〉令和の「婚活・結婚」小説

※創刊号（2005年10月）〜Vol.196（2022年12月）は品切です。

目次は文蔵HP**[https://www.php.co.jp/bunzo/]**でご覧いただけます。

PHPの本

戦国武将伝　東日本編

今村翔吾　著

四十七都道府県×戦国武将！
東日本各県ゆかりの
戦国武将の逸話を元に、
直木賞作家が挑む〝前代未聞〟の
傑作ショートストーリー集。

ＰＨＰ文芸文庫　文蔵 2024. 7・8

2024年７月３日　発行

編　者　「文蔵」編集部
発行者　永田貴之
発行所　株式会社ＰＨＰ研究所
東京本部　〒135-8137　江東区豊洲5-6-52
文化事業部　☎03-3520-9620（編集）
普及部　☎03-3520-9630（販売）
京都本部　〒601-8411　京都市南区西九条北ノ内町11
PHP INTERFACE　https://www.php.co.jp/
制作協力
組　版　朝日メディアインターナショナル株式会社
印刷所
製本所　図書印刷株式会社

 ISBN978-4-569-90410-8